나영무
박사의 암 치유
기적의
운동

국내 최고 재활전문의이자,
생존 확률 5% 말기암을 극복한

나영무
박사의 **암 치유**
기적의
운동

나영무 지음

체인지업
CHANGEUP

헛된 희망보다
현실적인 운동 조언이
필요하다

나는 암 환자다. 그것도 생존율 5%에 불과한 말기암이었다. 슬프고 외롭고 두려웠지만 내가 감내해야 하는 길이었다. 수술과 항암, 재발과 전이 등 암과 동행한 지 4년을 훌쩍 넘겼다. 인고의 시간 속에서 내 몸의 불청객도 지친 듯 자취를 감췄다. 끝이 보이지 않던 기나긴 터널에서 빠져나온 기분이었다.

암은 내 몸에 공포, 고통, 좌절, 절망으로 쓰라림을 남겼다. 또 아이러니하게 '희망, 가족, 나눔, 운동'이라는 단어의 소중함을 일깨워주었다. 그리고 내 경험담을 같은 처지에 놓인 사람들과 공유하고 싶었다. 어떻게 하면 피폐해지는 몸과 마음이 건강해질 수 있는지 치료 전략을 함께 고민하고 싶었다. 또한 '투병의 지혜'도 나누고 싶었다. 그래서 암 환자들의 바람인 '완치'로 향하는 길에 도움을 줄 수 있다면 더할 나위 없이 좋을 것 같았다. 그런 생각을 처음 실행에 옮긴 것이 〈중앙일보〉에 '나의 말기암 극복기'를 연재한 것이다. 칼럼이 나간 이후 정말 많은 격려와 응원을 받았다. 지인들은 가끔 칼럼에 달린 댓글들을 문자로 보내주기도 했다.

"원장님의 글에 저 또한 힘을 냅니다. 항암 3차를 앞두고 최선을 다하고자 합니다."
"암 환자 가족입니다. 박사님의 경험 나눠주셔서 많은 힘이 되고 용기를 얻어갑니다."

그런 댓글을 보면서 오히려 내가 좋은 에너지를 많이 받았다. 칼럼이 게재된 후 내가 근무하는 병원으로 암 환자들이 꾸준히 찾아왔다.

"건강해지고 싶은데 가능성은 있을까요?"
"박사님은 항암 부작용을 어떻게 극복하셨나요? 음식은 어떻게 드셨나요?"

"계속 피곤한데 운동으로 체력을 회복할 수 있을까요?"

질문하는 그들의 얼굴에는 답답함과 막막함이 진하게 묻어 있었다. 동병상련을 느끼며 궁금증에 답을 하면서도 마음 한쪽이 아렸다. 그러다 며칠 전 친구가 보내온 칼럼 댓글이 생각났다.

"지금 세브란스병원 중환자실에서 위암으로 사경을 헤매고 있는 제 누나가 이 글을 봤더라면 좀더 힘을 내지 않았을까 하는 마음이 들어 안타깝습니다."

가슴을 시리게 만든 댓글이라 오래 기억에 남았다. 암으로 고통받으면서 뭘 어떻게 해야 할지 모르는 사람들, 그리고 안타까운 마음으로 그들을 지켜보는 가족들에게 작은 위로와 실질적 도움을 줄수 있는 방법을 고민하다가 책을 쓰기로 했다. 암 진단부터 항암과 수술, 맞춤형 재활운동법 등 암 환자들이 겪는 다양한 상황을 설명하고, 그에 맞는 해법을 제시하면 도움이 되지 않을까 하는 생각이 들어서다. 또 칼럼에서 다 하지 못한 이야기 등을 묶어 투병 생활을 위한 종합 가이드를 해주면 미래가 막막한 암 환우들이 덜 두렵지 않을까 하는 마음이 들기도 했다.

암 진단을 받은 후 얼마나 고통스럽고, 힘든 시간을 보낼지 알기에 암 환자들과 가족들이 이 책을 통해 조금이나마 용기를 얻고 암과 씩씩하게 싸워 이겨내기를 간절히 바란다. 그들에게 "암 진단을 받았더라도 우리의 삶은 계속되어야 한다"는 응원의 목소리를 보낸다. 끝으로 나의 투병 생활에 큰 힘이었던 사랑하는 가족을 비롯해 병원 식구들과 지인들, 그리고 일러스트를 그려준 김지윤 님, 체인지업 출판사 관계자들에게 고마움을 전한다.

2022년 9월

나영무

CONTENTS

Part 1 | 내 몸에 찾아온 불청객

Part 1

내 몸에 찾아온
불청객

암은 어느 날 느닷없이 찾아온다. 운동을 좋아하던 나에게 이런 불청객이 찾아올 거라는 생각을 미처 하지 못했기에 더 당황스럽고, 두려웠다.

어느 날, 나는
암에 걸렸다

"5번의 수술과 50회의 항암치료를 받았던 환자가 조금 전 세상을 떠났다. 다음은 당신 차례다."

백발노인의 냉랭한 음성이 들려왔다. 순간 섬뜩했다. 나도 모르게 "아직 할 일이 많이 남아서 지금은 아니야" 하며 허공으로 손사래를 수차례 치다가 눈이 떠졌다. 꿈이었다. 꿈이라서 정말 다행이라는 생각을 하며 가슴을 쓸어내렸다.

벽에 걸린 달력을 보니 3개월에 한 번씩 받는 추적 검사가 이틀

뒤에 잡혀 있었다. 추적 검사는 수술과 항암 약물치료를 통해 몸에서 암세포가 보이지 않는 완전 관해(완전 완화) 판정 이후에 실시된다.

'혹시 암덩어리가 다시 발견되지 않을까' 하는 걱정 때문에 추적 검사 날짜가 다가오면 괜히 예민해진다. 마치 수능시험을 앞둔 수험생처럼 초조하고 긴장된다. 지금까지 4번의 추적 검사에서 '이상 없음' 통보를 받았지만 검사 횟수가 늘수록 불안감은 커졌다. 지난번 추적 검사를 받는 전날에는 CT 찍는 꿈을 무려 10번이나 꾸는 바람에 자다 깨다를 반복하기도 했다.

내 삶의 변화는 어느 날 불쑥 찾아온 '초대받지 않는 세입자'인 암세포로부터 시작되었다. 평범했던 일상은 독한 항암치료와 온몸으로 오는 부작용으로 인한 고통이 차지했다. 생사의 갈림길에서 항상 '이대로 삶이 끝날 수도 있겠구나' 하는 두려움을 마주해야 했다. 또 사회적 단절로 인한 외로움 속에서 '과연 나는 완치될 수 있을까?' 하는 의문이 끊임없이 따라다녔다. 암에 걸리면 통과의례처럼 느껴야 했던 현실이었다.

하지만 계속 그렇게 살 수는 없었다. 항상 '죽음'을 염두에 둔 삶은 그야말로 지옥이었으니까. 그 이후 나는 생각을 바꾸기로 했다. 암세포 역시 내 몸의 일부분으로 받아들인 뒤 적극적으로 치료를 받고 잘 이겨내기로 마음먹은 것이다.

이와 함께 암세포로 인해 발생한 또 다른 세입자를 받아들였다. 항암제를 주입하거나 수혈, 채혈을 위해 굵은 중심 정맥에 관(카테터)를 삽입한 케모포트Chemoport다. 포트portal는 혈관을 통해 심장 가까이에 있는 굵은 혈관까지 삽입되는데, 동전 크기만 한 기구를 피부 밑에 이식한 뒤 혈관으로 통하는 주사관을 연결한다. 케모포트는 주삿바늘로 매번 혈관을 찌르지 않아도 되므로 손을 자유롭게 사용할 수 있고, 항암제도 샐 염려가 없다. 케모포트를 통해 항암제가 온몸 구석구석에 스며들면 암과의 싸움이 본격적으로 시작된다.

3년여의 기나긴 투병 생활과 암세포가 발견되지 않은 지금까지 케모포트는 나와 함께하고 있다. 케모포트는 나에게 암 환자라는 것을 잊지 않게 해주는 '상징'이자, 암을 이겨내고 있다는 것을 증명해주는 '훈장'이다. 특히 내 건강의 소중한 '파수꾼' 같은 존재다. 가끔 '이젠 괜찮겠지' 하며 생활 습관과 태도에 안일함이 찾아올 때마다 암으로 죽음의 문턱까지 다녀온 것을 상기시키는 경고등 역할을 하기 때문이다.

오늘도 내 몸에 심어진 케모포트를 통해 암 진단 이후의 삶을 조용히 돌아보게 된다.

치질로 착각한
'죽음의 병'

수년 전부터 치질 증세로 불편했는데 2018년 봄부터 내 몸에 또 다른 이상함이 느껴졌다. 간헐적 복통과 함께 배가 불룩한 느낌을 자주 받았고, 변을 보는 게 수월하지 않았다. 치질 증상이 심해진 것으로 여기며 심각하게 생각하지 않았다.

병원 이전 등 바쁜 업무로 인해 통증을 참으며 치질 수술을 미루다 후배가 하는 항문외과에서 여름 무렵에서야 받았다. 하지만 4주가 지나도 항문에서 끈적한 액체가 분비되고, 피가 나오는 등 증세가 호전되지 않았다. 그래서 대장내시경을 받았다. 거기서 암 같은 큰 덩어리가 발견돼 곧장 세브란스병원 암병원으로 향했다.

대장항문외과와 종양내과에서 추가 검사를 받은 뒤 결과를 들었던 진료실에서의 10여 분은 지금도 선홍빛 혈변처럼 선명하다.

"암癌에 걸렸어요. 암세포가 간은 물론 폐까지 전이된 직장암 4기입니다."

담당 의사의 말이 처음에는 믿기지 않았다. 살이 찐 것도 아니고, 더욱이 술과 육식도 즐겨 하지 않는 편이라 대장암(결장과 직장에 생기는 악성 종양) 진단에 적잖이 당혹스러웠다. 하지만 대장에 흉하게 생긴 큰 덩어리와 간의 4분의 3 이상 넓게 퍼져 있었고, 폐까지 전이된 암세포들을 막상 눈으로 보고 나자 현실로 다가왔다.

'암'이라는 단어, 그것도 말기암은 어느 누구도 듣고 싶지 않은 말일 것이다. 그 어둠 속으로 내가 들어왔다고 생각하니 매우 복잡한 감정들이 올라왔다. 무엇보다 명색이 의사인데 '왜 내 몸이 내는 신호에 주의를 기울이지 못해 말기에 이르도록 방치했을까' 하는 자책이 먼저 들었다. 또한 암으로 세상을 떠난 유명 탤런트의 "암은 힘든 게 아니라 이별을 준비할 수 있는 시간을 주는 병이다"라는 말도 떠올랐다.

세브란스병원을 나서는데 먼저 가족이 생각났다. 암은 환자는 물론 가족 전체의 삶도 바꾸어놓는다는 것을 누구보다 잘 알기에 나쁜 소식을 전하기가 두려웠다. 우선 "대장에 종양이 발견됐는데 정밀 검사를 해봐야 할 것 같아"라는 말로 내 몸에 이상이 있음을 비친 뒤 서서히 암 발병 사실을 알리기로 마음먹었다. 이어 동고동락했던 병원 식구들, 그리고 나의 진료실을 거쳐간 국가대표 선수들을 비롯한 수많은 환자들의 모습이 뇌리를 스치고 지나갔다. 그리고 이들과 인연을 이어가지 못할 수 있다는 생각에 갑자기 눈시울이 뜨거워졌다.

동시에 나의 소중한 것을 지키고 싶은 욕구도 강하게 들었다. 문득 고등학교 2학년과 3학년 때 차례로 돌아가신 부모님의 얼굴이 떠올랐다. 두 분 모두 공교롭게도 암으로 세상을 떠나셨다. 그 당시 암에 걸렸다는 것은 일종의 사형선고나 마찬가지였다. 만일 최첨단 의료장비와 세계 정상급 암 수술 실력을 갖춘 요즘이었다면 부모님의 운명도 달라졌을 것이라는 생각이 들자 작은 희망이 느껴졌다. 그래서 수술이든 항암치료든, 하루빨리 내 몸에 퍼진 암세포를 제거해 문제를 해결하고 싶다는 마음이 간절했다.

6번의 수술과
36회의 항암치료,
그래도 나는 살아있다

암세포와의 싸움은 고되고 험난하다. 수술이 주는 중압감에 이어 항암 약물치료(항암치료)는 온몸을 한바탕 뒤집어놓을 만큼 고통스럽다. 더 괴로운 것은 이러한 과정이 언제 끝날지 모르는 미로 속에 있다는 사실이다.

2018년 8월 직장암 4기 판정을 받을 당시 내 몸 상태는 최악이었다. 항문 위쪽 직장에 자리 잡은 암세포가 간은 물론 폐까지 타고 올라갔다. 직장과 간에 퍼진 암세포는 크기가 커서 곧바로 수술할 수 있는 상태가 아니었다.

암세포의 크기를 줄이기 위해 항암치료를 먼저 시작했다. 항암 주사는 2주에 한 번 3일 동안 맞고, 다시 2주 있다가 3일간 또 맞았다. 이렇게 7번의 항암치료를 끝낸 뒤 다행히 암덩어리가 줄어들어 2018년 12월 첫 수술대에 올랐다.

암세포가 침투한 직장, 간, 폐 등 세 군데를 한꺼번에 수술할 수 없어 먼저 직장과 간에 메스를 댔다. 직장은 10cm를 잘라냈고, 간은 75%가량을 절제했다. 수술 이후 2019년 1월부터 5회에 걸쳐 항암치료를 받은 뒤 같은 해 5월 미뤄둔 오른쪽 폐의 중엽을 잘라냈다. 그리고 6월부터 넉 달 동안 8번의 항암 약물치료를 받았다.

수술 후 어김없이 이어지는 항암치료는 일송의 세트다. 수술 후 재발 위험을 낮추고, 완치율을 높이는 한편 환자의 증상 완화와 생존 기간 연장을 위해 '바늘과 실'처럼 따라붙는다.

암과의 싸움을 멈추지 않으면서 2019년의 끝자락에 왔을 때였다. '다가오는 새해에는 수술과 항암치료의 굴레에서 벗어날 수 있겠지'라는 희망을 가득 품었지만 순식간에 절망으로 바뀌었다. 재발 때문이었다.

2020년 2월 재발로 또다시 수술대에 올라 간과 왼쪽 폐 하엽을 절제했다. 정해진 코스처럼 3월부터 항암치료를 8번이나 견뎌내야 했다. 얄궂은 운명은 여기서 멈추지 않았다. 암은 또 재발해서 2020년 11월 왼쪽 폐 하엽 절제 수술을 받은 뒤 2021년 6월까지

8번의 항암치료를 받아야 했다.

직장암 진단 이후 내 몸은 직장 1회, 간 2회, 폐 3회 등 6번의 수술과 함께 36차례에 걸친 항암치료의 소용돌이에 휩싸였다. 그리고 2021년 9월과 12월, 2022년 3월과 6월 4번의 추적 검사에서 더 이상 암세포가 발견되지 않았다는 판정을 받았다. 돌아보면 모질고 힘겨운 싸움이었다.

3년 전 나의 생존 확률은 고작 5%에 불과했다. 저승사자가 언제 데려가더라도 이상하지 않을 상황이었다. 하지만 벼랑 끝에서 빠져나와 이렇게 살아있다. 아침에 눈을 뜨면 내 숨소리와 심장이 뛰고 있는 것에 새로움을 느낀다. 또한 암 진단 이전처럼 병원으로 출근해서 매일 환자들과 만나는 소소한 행복도 누리고 있다. 모든 것에 감사할 따름이다.

지금은 5년 동안 재발하지 않아야 들을 수 있는 '완치'를 향해 뚜벅뚜벅 걸어가고 있다. 무엇보다 '모든 게 잘될 거야. 나는 암 환자이지만 반드시 나을 수 있다'는 긍정적인 마음과 적극적인 치료, 그리고 꾸준한 운동으로 암을 마주했던 것이 비결이었다.

지금도 무섭고 두려운
'재발과 전이'

모든 암 환자들이 바라는 단어는 '완치와 치유'다. 두 단어에는 암 투병 생활의 외로움과 고단함을 잊게 해주는 마법의 힘이 담겨 있다. 또한 그야말로 전쟁 같은 하루하루를 버티게 해주면서 암 진단 이전의 삶으로 돌아갈 수 있다는 희망을 품게 한다. 반면 암 환자들이 가장 두려워하는 단어는 무엇일까? 바로 '재발과 전이'다. 암 환자가 된다는 것은 매일 이 두 단어의 가능성을 끌어안고 살아가는 것을 의미한다.

나 역시 예외는 아니다. 두 단어를 들으면 저절로 몸서리쳐질 만큼 분노와 공포를 느낀다. 3개월마다 추적 검사를 받고 있는 지금도 두 단어로 인해 생긴 트라우마는 여전히 나를 불안하게 만들고 긴장시킨다.

암세포는 내 몸의 3곳에 침투했다. 직장에 뿌리를 내린 뒤 간과 폐로 전이된 암세포를 2018년부터 2019년까지 차례로 제거하는 수술과 함께 항암치료를 받았다. 암덩어리가 내 몸에서 떨어져 나갔다는 사실에 앓던 이가 빠진 것처럼 시원했다.

매일매일 살얼음판을 걷듯 컨디션 관리에 각별하게 신경 쓰면서 순탄하게 투병 생활을 이어갔다. 하지만 2020년 2월 마른하늘에 날벼락 같은 소식이 나를 덮쳤다. 간과 폐에서 암세포가 또 발견된 것이다.

대장의 혈액과 림프액이 모두 간으로 모이기에 이 부위에서 전이와 재발이 자주 발생한다. 또한 암세포는 피를 따라 이동하면서 다른 장기들에 달라붙는 전이 능력과 지극히 소수라도 독자적인 생존 능력을 갖추고 있다. 그래서 수술로 제거했더라도 현미경에 관찰되지 않은 미세한 것들이 몸 안에 남아 혈관을 타고 돌아다니며 문제를 일으키는 것이다.

'재발'이라는 말에 머리가 하얘질 만큼 큰 충격을 받았다. 정성을 다해 쌓아올린 공든 탑이 하루아침에 와르르 무너져내린 느낌이었다. 2년 전 말기암 진단을 받았을 때보다 수천 배, 수만 배 더 절망스러웠다. '아! 이제 죽을 수도 있겠구나' 하는 두려움이 거세게 밀려왔다.

이런 와중에 병원에서 함께 항암치료를 받던 환자들 가운데 하나둘씩 모습을 볼 수 없었던 것도 불안감을 증폭시켰다. 이는 하늘의 부름을 받아 세상을 떠났거나, 항암치료가 너무 힘들어 중도 포기하는 경우인데 전자가 90% 이상이었다. 재발이 소름 끼칠 만큼 무서웠던 것은 수술과 고통스러운 항암치료를 원점에서 다시 시작해야 하기 때문이다.

나는 간신히 피폐해진 심신을 추슬러 수술 날짜를 잡았다. '별일 없겠지?' 하는 마음으로 수술실에 들어가 왼쪽 폐와 간을 잘라냈다. 치기운 수술실에서 깨어나니 오한이 늘었지만 '잘되었구나!' 하는 생각에 안도의 한숨이 쉬어졌다.

그러나 재발로 인한 수술을 받은 뒤 9개월도 안 돼 왼쪽 폐에서 또다시 암세포가 고개를 내밀고 나타났다. 도무지 포기를 모르는 암세포가 징글징글했다.

'재발'은 여전히 공포의 대상이지만 당시에는 반복된 학습 효과 탓인지 마음은 담담했다. 오히려 "그래 한번 해보자!"는 오기가 생겨났다. 그렇게 왼쪽 폐를 성공적으로 절제한 것을 끝으로 나는 더 이상 수술대에 오르지 않았다.

암 환자의
비애

암 환자로 일상을 살아간다는 것은 쉬운 일이 아니다. 전혀 예기치 못한 상황들을 자신의 의지와는 무관하게 마주해야 하기 때문이다. 항암제를 맞고 난 뒤 일주일이 지나 은행에 볼일이 있어 간 적이 있다. 일을 마친 뒤 주차장으로 향하는데 배에서 가스가 꽉 찬 느낌이 올라왔다.

'방귀가 나오려나' 하고 생각하는 순간 변실금 실수를 하고 말았다. 갑작스럽게 벌어진 상황에 창피함과 당혹감이 밀려왔다. 혹시 몰라 차 트렁크에 준비해두었던 속옷을 꺼내 들고 은행 화장실로 황급히 이동했다. 속옷을 갈아입는데 왠지 모를 서러움에 눈물이 핑 돌았다. 그 이후 외출할 때에는 먼저 화장실 위치를 확인하고, 돌발 상황을 대비해 속옷을 준비하는 습관이 생겨났다.

주차 실수도 나를 슬프고 당황하게 만들었다. 아파트 주차장에 차를 대는데 갑자기 '끼익끼익' 긁히는 소리가 들렸다. 주차라인에 맞춰 반듯하게 후진하고 있다고 생각했지만 실제로는 옆에 주차된 차량을 긁으면서 갔던 것이다.

이런 실수는 한 번에 그치지 않았다. 그 이후에는 차량이 없는 벽면 쪽으로 주차를 시도했는데 어이없게도 너무 붙어서 차에 흠집을 내고 말았다. 원인은 항암치료로 인해 발초신경병변으로 인한 몸의 감각신경, 코디네이션 기능이 무너졌기 때문이었다.

대장암 환자로서 겪었던 서러움 가운데 가장 큰 것은 배변 문제다. 특히 수술 후 항암치료를 받을 때가 최고조였다. 몸의 면역력이 떨어져 장 자체가 불안한 상태인데, 항암제는 약한 곳을 집중 공략하기 때문이다. 기침하거나, 심지어 찬물만 먹어도 장이 반응하면서 변이 새어 나왔다. 하루 평균 10번 이상 화장실을 들락거렸는데 심한 경우에는 30번이나 간 적도 있다. 이렇게 사는 것이 맞나 싶을 정도로 서글펐다.

암 환자들은 겉으로는 괜찮은 듯 보여도 금세 지치고 피곤함을 느낀다. 그래서 외출이 조심스러운데 항암치료 기간에는 더욱 그렇다. 항암 부작용으로 체력이 확 떨어지거나, 어지럼증 등 돌발 변수가 생길 수 있어서다. 또한 머리카락이 빠지고 얼굴도 수척해진 상황에서 항암치료가 주는 신체적 고통과 정신적 스트레스까지 더해지면 사람 만나는 것을 기피하고 혼자만의 세상에 갇힌다. 결국 사람들에게서 차츰 멀어지게 된다. 암 환자가 겪는 비애 가운데 가장 감당하기 힘든 부분이다.

남몰래 혼자 울던
불면의 밤

암 진단 이후 생긴 증세 가운데 하나가 불면증이다. 불안한 마음 때문에 잠 못 드는 밤의 연속인 것이다. 또한 자다 깨다를 반복하다보니 수면의 질도 좋지 않아 피곤함을 달고 산다. 혼자서 끙끙대며 보내는 불면의 밤은 누구한테 속 시원하게 말하지도 못한다.

그 원인은 다양하다. 처음에는 '내가 도대체 무슨 잘못을 했길래 암에 걸린 거지? 열심히 살았는데 하늘도 무심하다' 등 현실에 대한 부정과 탄식이 머리를 지배했다. 그러다 '왜 내가 암에 걸렸을까?'를 골똘히 생각한다. 가족력 때문인지, 생활 습관 때문인지 등 원인을 찾아 헤매다보면 어느덧 새벽이 밝아온다.

암이 재발되었을 때, 정성을 들였던 치료가 효과가 없을 때, 몸에 기운이 하나도 없을 때, 아무것도 먹지 못하고 있을 때 등 힘든 상황이 오면 부정적인 생각이 뇌를 꽉꽉 채운다. 그러다가 이내 '어떻게 하면 이길 수 있을까? 항암을 어떻게 극복할까? 발가락에 피가 나는데 이렇게 하면 될까? 다른 신발을 신어볼까? 입 안이 아파서 밥을 잘 못 먹는데 사이다랑 같이 먹어볼까?' 등 이런저런 생각들이 꼬리에 꼬리를 문다.

또한 '사람이 세상에 나올 때는 순서가 있지만 갈 때는 순서가 없다', '내가 떠나면 가족은 어떻게 하지……', '정리해야 할 것도 많은데', '이렇게 계속 몸이 힘들면 병원을 정리해야 하나? 정리하면 직원들은 어떻게 하지?' 등 근심이 이어지면서 쉽게 잠들지 못 했다.

일상생활에서 일어나는 고민들을 나 혼자 다 하고 있는 것처럼 생각이 많았다. 불면증을 유발하는 현실적 이유를 꼽는다면 항암 치료의 고통과 후유증이다. 말 그대로 몸이 힘들어 잠들지 못하는 것이다.

특히 항암치료의 횟수가 늘어날수록 몸에 독성과 그로인한 부작용, 후유증도 비례해서 쌓인다. 몸에 생기는 통증이 커지면 이겨낼 장사는 없다. 하룻저녁에 설사로 화장실만 10번 넘게 들락거린다면 잠은 다 잔 것이나 다름없다.

수술 뒤 후유증도 만만치 않다. 칼로 잘라내고 구멍을 뚫은 수술 부위가 당기고 아프고 쓰라리기도 하고, 몸을 움직이다가 복부 근육을 잘라낸 곳에서 경련이 일어나 잠을 못 잤던 기억도 있다. 여기에 '지금 최선의 치료를 받고 있는 것일까, 과연 완치에 이를 수 있을까, 그리고 암 이전으로 돌아가 내 진료실에서 환자들을 만날 수 있을까' 등을 고민하다보면 밤을 잊게 된다. 암 환자로 산다는 것은 죽음에 대한 공포, 항암의 고통, 치료에 대한 걱정, 미래에 대한 불안 등과 동거하는 것이다.

특히 아픈 것은 누구와도 나눌 수 없어 혼자 견딜 수밖에 없다. 나 역시 투병하면서 신체적 고통과 정신적 중압감으로 인해 많이 울었다. 하지만 대놓고 울 수가 없어 속으로 눈물을 흘렸다. 무엇보다 가족들 앞에서는 울기 어려웠다. 소위 '가장이 무너지지 않아야 한다'는 생각 때문이었다.

병원에서도 병원의 장이었기 때문에 직원들에게 약한 모습을 보이고 싶지 않았다. 최대한 담담한 모습을 통해 암세포와 씩씩하게 싸우면서 이겨내고 있다는 것을 보여주려고 노력했다. 하지만 나만의 공간에서 혼자 있는 시간에는 참았던 눈물의 둑이 여지없이 무너졌다.

내 방에 혼자 있을 때나, 자기 전에 몰래 눈물을 훔치면서 마음의 고통을 흘려보냈다. 밤이 무서웠다.

그리운 이름,
캡틴 유상철!

나는 1996년부터 축구 국가대표팀 주치의를 맡아 2018년까지 22년간 활동했다. 축구 대표팀 주치의로서 가장 특별했던 추억은 단연 2002 한일월드컵이다. 당시 한반도를 뒤덮은 붉은 6월의 함성과 4강 신화는 아직도 뇌리에 기분 좋게 남아있다.

홍명보부터 손흥민까지 많은 태극전사들과 동고동락하면서 '투혼' 하면 떠오르는 선수가 두 명 있다. 1998년 프랑스월드컵 당시 '붕대 투혼'을 펼친 이임생, 그리고 '유비' 유상철 선수다. 이들은 동갑내기 친구다. 또 선수 생활을 은퇴한 후 축구팀 감독으로 전향한 것도 같을 정도로 둘 사이의 관계는 매우 돈독했다. 그중에서 특히 더 기억에 남는 사람은 유상철 선수다.

2001년 6월에 개최된 FIFA 컨페더레이션스컵 때의 일이다. 당시 유상철은 멕시코전에서 코뼈가 부러지는 부상을 당하고도 헤딩으로 결승골을 터트렸다. 경기가 끝난 뒤 히딩크 감독은 다음 경기(호주전)에 유상철의 출전 여부에 대해 주치의인 내게 의견을 물었다.

나는 "부러진 뼈가 뇌 쪽으로 밀려 더 큰 손상이 올 수도 있으니 출전하지 않는 것이 좋겠다"고 말했다. 한참을 고민하던 히딩크 감독도 전문가인 내 의견을 존중했다. 하지만 이때 유상철 선수는 간절하면서도 단호하게 "호주전은 뛸 수 있다. 꼭 뛰게 해달라"고 떼를 쓰다시피 했다.

자신보다 팀을 먼저 생각한 그의 헌신과 강한 승부 근성은 대표팀에 활기를 불어넣었고, 결국 2002년 한일월드컵 4강 신화를 쓰는 '원팀'의 자양분으로 작용했다. 누구보다 강했던 그가 2019년 10월 췌장암 4기 진단을 받았다는 소식을 듣고 깜짝 놀랐다. 나처럼 말기암이라는 운명이 야속하기만 했다.

고달픈 항암의 길로 들어선 그에게 '유상철은 결코 병으로 쓰러지지 않을 거야'라며 마음속으로 응원했다. 매스컴을 통해 항암치료를 꿋꿋이 받으며 호전된 그의 상태를 들을 때마다 나도 덩달아 기뻤다. 나에게 그의 존재는 함께 어려움을 헤치고 나가는 든든한 암 투병 동지였기 때문이다.

하지만 2021년 6월 7일, 뇌로 전이된 암세포와 사투를 벌이던 유상철은 끝내 눈을 감았다. 갑작스러운 비보에 나는 한동안 멍했다. 그렇게 튼튼한 선수도 버티질 못하고 가니 희망이 없어지는 듯했다. 며칠간은 무력감과 우울감의 늪에 빠졌다. 그만큼 투병 동지의 빈자리가 주는 상실감은 컸다.

사실 암 환자들은 주변에 있는 다른 분이 암으로 돌아갔다는 소식이나, 암으로 세상을 떠난 유명 인사들의 뉴스를 접하면 심리적으로 크게 위축된다. 특히 자신과 인연이 있었던 지인들의 부고는 슬픔과 충격의 강도가 더 크다. 돌이켜보면 이 같은 우울감에서 벗어날 수 있었던 것은 결국 사람이었던 것 같다.

나의 진료실에서 평범한 일상을 사는 환자들과 소통하면서 따스한 위로를 받으며 마음의 안정을 찾아갔다. 삶과 죽음의 외줄 타기에서 주어진 하루하루에 최선을 다해 사는 것이 가장 현명하다는 것을 깨닫고 나니 우울한 마음에서 차츰 벗어날 수 있었다.

올해도 6월은 어김없이 찾아왔다. 하늘나라에서 멀티플레이어의 능력을 마음껏 펼치고 있을 그에게 안부를 전한다.

"투혼의 승부사 유상철 감독님, 오늘따라 당신이 무척 그립습니다."

자존감이
무너지다

직장과 간을 절제하는 첫 수술 뒤에 이어진 항암치료를 받을 때였다. 독한 항암제는 수술로 체력이 떨어져 무방비 상태인 내 몸을 맹렬하게 공격했다. 힘겹게 항암치료를 마치고 집에 왔지만 계속 복통과 설사가 멈추지 않았다. 물 한 모금 제대로 먹지 못하고 탈진 증상까지 생겨 결국 병원 응급실로 실려갔다.

극심한 고통 속에 그저 눈만 껌벅껌벅하는 것 외에는 할 수 있는 것이 아무것도 없었다. 모든 게 공허하면서 귀찮아졌고, 슬프고 우울한 기분으로 가득 찼다. '이러다 사람 구실이나 하며 살 수 있을까' 하는 생각에 절망감이 밀려왔다. 급기야 투병 생활을 하면서 처음으로 '이럴 바에는 차라리 죽는 편이 낫겠다' 하는 극단적인 생각까지 들었다.

항암의 고통 속에 무기력함이 우울감으로 번지면서 자존감마저 무너뜨렸기 때문이다. 또한 수술과 항암을 반복하면서 인생의 주도권을 잃어버린 느낌이 들 때, 천직으로 생각하는 환자 진료를 하지 못할 때, 체력이 받쳐주지 않아 하고 싶은 것을 못할 때, 그리고 인간의 육체가 원초적으로 하는 기능이 제대로 작동하지 않을 때 미치도록 괴로웠다.

이 같은 자존감 상실은 사회적으로 격리됨을 느낄 때도 여지없이 찾아온다. 사람들로부터 멀어지는 고통은 겪어보지 않은 사람은 결코 모른다. 이는 갑작스러운 신체적인 고통과 체력 저하 그리고 외모 변화로 초라해진 모습을 보여주기 싫어 사람과의 만남을 피하면서 시작된다. 그러다 보면 주변에서 사람들이 점점 멀어지고, 시간이 흐르면 급기야 사람들이 먼저 피하는 것 같은 느낌이 든다.

소외감이 찾아오고, 버림받은 기분까지 더해지면 우울증으로 발전한다. 암 진단 당시 내 소식을 들은 지인과 후배들은 많은 응원 메시지를 보내왔다. 하지만 '말기암'이 주는 중압감 때문인지 차츰 연락이 뜸해졌다. 그들은 '괜히 좋지 않은 소식을 들을까' 지레 겁먹고 선뜻 안부를 묻지 못한 것이다. 이런 기간이 길어지면 서운함이 생긴다. '혹시 나를 싫어하는 것은 아닌가' 하는 마음 때문에 상대방에게 먼저 연락할 엄두가 나지 않는다. 그리고 결국 집 안에 틀어박혀 혼자만의 세상에 갇히게 된다.

정상적인 사람도 오랜 기간 하루 종일 아무것도 안 하고 있으면 없던 병도 생긴다는데, 암 환자는 오죽할까. 고독감과 자신도 모르게 불쑥 떠오르는 부정적인 생각들 속에서 우울감이 마음을 점령하면 자존감도 갉아먹게 된다. 우울감은 시시때때로 사람을 불안하게 만들고, 죽고 싶은 마음이 들게 하는 무서운 적인 것이다.

외롭고 힘들 때
나를 지켜준 '가족'

"많이 힘들었지. 정말 수고 많았어."

2박 3일간의 항암치료를 마치고 집에 돌아온 나를 반기며 아내가 건넨 말이다. 집에 왔다는 안도감과 따뜻한 말 한마디가 고맙고 정겨웠다. 암은 가족 전체에 슬픔을 주는 동시에 서로를 배려하게 해주기도 하는 것 같다.

가족 전체의 생활 리듬이 암 환자인 나에게 맞춰 돌아갔다. 우선 가족들은 내가 한 입이라도 더 먹을 수 있도록 식사 준비에 신경을 쏟았다. 또한 주말에 야외 나들이 갈 때도 운전을 하고, 항암 후유증으로 손끝이 아파 캔 음료조차 따기 힘들 때도 조용히 도움의 손길을 내밀었다.

암과의 싸움에 집중할 수 있도록 도와준 것이다. 간혹 내가 이유 없이 짜증을 내고 좌절감을 보일 때면 "참고 이겨내자", "아빠는 잘 이겨낼 거야" 하는 응원의 말로 묵묵히 내 곁을 지켜주었다.

하지만 결국 내가 힘들고 슬픈 모습을 보이면 어쩔 수 없이 가족에게 고스란히 전이되었다. 아내가 영양식으로 밥상을 차려주었는데 항암제로 미각이 소실되어 한 숟가락도 목구멍으로 넘기지 못했다. 가족들은 재빨리 다른 음식으로 대체하고, 부랴부랴 유명 맛집에서 갈비탕 등을 포장해왔지만 내 입맛을 돌리지는 못했다. 먹지 못해 야윈 내 모습을 보고 가족들은 속상해하며 함께 입맛을 잃었고, 죄 없는 음식들은 그대로 쓰레기통으로 향했다. 정말 미안하고 괴로운 순간이었다.

힘든 상황 속에서 '가족'은 나를 은은하게 비춰주는 빛이었다.

직장과 간을 절제하는 첫 번째 수술을 받고 병실 침대에 누워 있을 때였다. 환자복을 입고 수액과 진통제 등이 주렁주렁 달린 링거대에 의지한 채 고통을 참아내고 있었다.

고요한 가운데 어둠이 밀려오자 외로움과 무서움이 들었다. 그

때 내 간호를 위해 보호자 침대에 있는 사랑스러운 딸의 모습이 들어왔다. 딸이 내 옆에 있다는 것만으로도 마음에 큰 위안이 되었다. 나를 도울 수 있는 누군가가 있다는 것이 얼마나 든든한지, 그전보다 훨씬 더 크게 가족의 힘을 느낄 수 있었다.

혼자가 아닌 나를 느끼는 것은 암 투병 생활에서 천군만마다. 돌아보면 가족의 존재는 이 세상에서 가장 강력하면서도 부작용이 하나도 없는 최고의 항암제였다.

의사 가운을 벗고
환자복을 입어보니

의사의 삶에서 환자의 삶을 겪어보니 녹록하지 않았다. 우선 갑甲과 을乙의 관계처럼 처지가 확연히 달랐다. 전문 지식을 갖춘 의사의 판단을 환자가 따라야 하는 일종의 불평등 관계에서 비롯된 것이다. 나 역시 다른 암 환자처럼 담당 의사가 그냥 어려웠다. 솔직히 하고 싶은 말을 충분하게 표현하지 못했다.

아마 말기암 환자의 생사를 좌우하는 책임자라는 무게감이 작용했기 때문인지 모른다. 사실 환자의 삶과 정체성은 전적으로 의사의 손에 달려 있다. 진료실 앞이 북적대는 대기 환자들로 인해 쫓

기듯 의사를 대면하고 나와도 불안과 고통을 감내하는 것이 환자들의 현실인 것 같다.

의사 가운을 벗고 환자복을 입어보니 이전에 보이지 않았던 것이 눈에 들어왔다. 먼저 의료 행위를 환자의 시각에서 바라보게 되었고, 환자의 마음을 더 세심하게 살피고 이해하는 것이 중요하다는 것을 새삼 느꼈다. 아픈 사람의 마음은 아파본 사람이 잘 아는 것처럼 환자복은 나에게 '공감 능력'과 '환자에게 도움을 주는 사람'이라는 의사의 본분을 일깨워주었다.

내 진료실을 찾아왔던 59세 여성 환자는 이런 면에서 오래 기억에 남는다. 그녀는 고질적인 허리와 골반 통증 때문에 여러 병원을 옮겨 다니며 치료를 받았지만 차도가 없어 나에게 왔다. 그녀는 식당일을 하느라 장시간 서서 고생했던 일, 그 후 집에 가서도 연속된 해도 해도 끝이 없는 집안일에 대해 이야기했다. 무엇보다 밤이 되면 더 심해지는 통증에 시달리는 일 등을 10여 분 동안 했다. 나는 그녀의 하소연을 다 듣고 나서 한마디 건넸다.

"그동안 얼마나 힘드셨어요."

말 한 마디에 그녀는 눈물을 쏟아냈다. 자신의 이야기를 흘려듣지 않고 끝까지 경청한 뒤 공감해준 것에 가슴에 맺혔던 응어리가 풀린 듯 눈물이 흘러나온 것이다. 이후 그녀는 치료를 잘 받고 건강을 회복해 일상으로 돌아갔다. 이 일을 계기로 그렇다면 환자에게 훌륭한 주치의란 어떤 사람일까?에 대한 생각을 하게 되었다.

의사와 환자, 상반되는 두 가지 입장을 모두 경험한 나는 최우선적으로 기술적으로 탁월한 의사를 꼽는다. 병원의 명성과 치료 환경도 중요하지만 내 생사가 달려 있는 만큼 풍부한 경험을 지닌 실력 있는 의사를 먼저 찾는 게 인지상정이니까. 여기에 환자의 마음을 다독여주는 친절함과 따스함을 지닌 의사라면 더할 나위 없이 좋다.

수술과 항암치료를 받은 종합병원 주치의와 함께 수시로 가서 건강 상태를 확인하고 상담하는 동네 병원 주치의를 만드는 것도 좋은 방법이다. 암 환자에게는 평소 컨디션 관리가 중요한 만큼, 큰일이 아니라면 주변에 있는 가까운 병원을 현명하게 활용하는 것이 오히려 건강 관리에 도움이 되기 때문이다. 지방에 사는 환자의 경우, 장거리 이동과 진료 대기시간 등으로 인한 피로감을 덜고 심리적 안정을 찾는 데 도움이 되기에 추천한다.

암 환자들이 피해야 할
일상 습관 6가지

암은 대부분 만성질환이다. 살면서 그냥 지나쳤던 잘못된 습관과 행동들이 차곡차곡 쌓여 암을 자라나게 했던 것 같다. 암에 걸린 원인은 결국 내 안에 자리한다. 건강한 삶을 위해서는 잘못된 습관들을 바로잡는 철저한 자기 관리가 필요하다.

첫째, 지나치게 비관적으로 생각하기

암 환자들은 걱정과 고민이 많다. 몸이 아프니까 마음도 같이 아프고 힘들어 기분이 쉽게 가라앉는다. 자연스레 우울감이 찾아온다. 매사 귀찮아지고 긍정보다는 부정적인 생각이 머리를 지배한다. '혹시 항암치료 도중 잘못되지 않을까?', '수술과 항암치료를 받았지만 효과도 없는데 살 수 있을까?', '재발이라는데 이제 죽는 것일까?' 등 나쁜 생각들이 계속해서 이어진다. '암=죽음'이라는 공포에 스스로 자신을 가두는 꼴이다. 하지만 이런 절망감은 환자는 물론 암 치료에도 전혀 도움이 되지 않는다.

사실 암 투병 생활에는 크고 작은 문제들이 수시로 일어난다. 그때마다 비관적으로 확대해석해 암세포가 좋아하는 환경을 만들지 말아야 한다. '괜찮아. 잘될 거야'라는 긍정의 마음과 의연한 태도를 지니려고 노력하는 것이 바람직하다.

둘째, 화장실에 신문이나 휴대전화 들고 가기

암에 걸리기 전 내가 화장실에 머문 시간은 10분을 넘기기 일쑤였다. 긴 시간 화장실에 있게 만든 주범은 신문과 휴대전화. 신문을 읽거나 스마트폰을 사용하다보면 시간 가는 줄 모른다. 자연스레 변기에 오래 앉아 있는 것이 습관화되었다. 배변 시간이 길어지는 것은 항문에 압력을 가해 치질을 유발할 수 있다. 또한 대장과 항문이 둔감해져 변비도 불러올 수 있다.

이런 습관은 비단 나만의 문제가 아닐 것이다. 요즘 사람들은 스마트폰이 신체 기관의 일부분이라고 할 만큼 손에서 놓지 못하기 때문이다. 하지만 기억해야 한다. 화장실에 갈 때는 볼일만 간단하게 보고 나와야 한다는 것을.

셋째, 흡연과 음주, 그리고 식사 제때 안 하기

암 환자에게 독이 되는 대표적 생활 습관 3가지다. 흡연과 음주는 재발은 물론 2차 암 발생 확률을 높이는 최악의 습관이다. 특히 최근 언론 보도에 따르면 우리나라 암 경험자의 지속 음주율은 11.2~30.9%, 흡연율은 6.7~9.6%로 조사될 만큼 쉽게 끊지 못한다. '이 정도 양이면 몸에 큰 지장이 없을 거야'라고 스스로 자위하면서 암 환자의 무력감과 고독감을 달래려고 술과 담배를 가까이한다.

하지만 담배를 피우고, 술을 마시는 행위는 항암제로 약해진 우리 몸에 독극물을 쏟아붓는 것과 같다. 수술과 항암의 고통을 견디면서 몸의 정상화를 위한 노력들을 무용지물로 만드는 자해 행위다.

또한 암 환자는 입맛을 잃어버려 식사를 제때 하지 않거나 거를 때가 많다. 심지어 암세포를 굶겨 죽인다는 생각에 음식을 먹지 않는 경우도 있다고 들었다.

하지만 암 환자는 잘 먹는 것이 중요하다. 그래야 체력이 좋아져 암세포와 싸울 수 있다. 암 환자는 건강한 사람들보다 단백질과 열량이 많이 필요하기에 규칙적이고 골고루 먹는 습관으로 영양소를 충분히 섭취해야 치료 효과가 좋아진다.

넷째, 스트레스 담아두기

만병의 근원인 스트레스에서 자유로운 사람은 거의 없다. 나 역시 병원 경영과 사회생활을 하면서 크고 작은 스트레스에 많이 시달렸다. 당시에는 스트레스를 정면으로 마주한 채 혼자 끙끙거리며 담아둔 적이 많았다. 걱정한다고 해결되는 게 아무것도 없는데 말이다. 특히 스트레스는 스트레스 호르몬을 분비하여 우리 몸을 여기저기 망가뜨린다. 이것도 쌓이면 마음의 병이 되기도 한다.

스트레스는 그 원인을 해결하지 않는 이상 절대로 사라지지 않는다. 차라리 운동을 하거나 자신이 좋아하는 취미 생활을 통해 스트레스를 해결하는 것이 좋다.

다섯째, '내가 왕년에는……', 과거에 머물러 있기

암 환자가 혼자 집에 있으면 아픈 것만 생각한다. 그러다 보면 하루 종일 누워서 지내는 경우가 많다. 신체 활동이 줄어들면 면역력도 떨어져 무기력감이 지속된다.

이런 무력감을 떨쳐버릴 가장 좋은 해결책은 운동이다. 이때 중요한 것은 운동을 바라보는 시각이다. 현재의 몸 상태를 고려하지 않고 '내가 왕년에는……'이라는 생각으로 운동을 시작했다간 낭패를 볼 수 있다. 과거 자신의 모습만을 생각하고 헬스클럽을 찾아 러닝머신을 뛰거나 바벨을 들다가 자칫 부상을 입을 수도 있기 때문이다.

암 환자의 경우 관절과 근육이 약해져 있는데다 뼈로 전이된 경우도 있기에 운동을 할 때도 조심해야 한다. 그러니 꼭 활동적이고 큰 동작만이 운동 효과가 있다는 편견을 버리고, 몸에 무리를 주지 않는 손쉬운 동작부터 시작하는 것이 바람직하다. '천리 길도 한 걸음부터'라는 속담처럼 천천히 체력을 올릴 수 있도록 단계적으로 운동하도록 하자.

여섯째, 정기검진 소홀하기

우리 몸은 문제가 생기면 일종의 신호를 통해 경고를 보낸다. 하지만 건강을 과신한 나머지 보디 사인을 무시하면 검진 시기를 놓쳐 암세포를 키우게 된다.

내게 몸이 보낸 첫 번째 신호는 복부 팽만감이었다. 과식하지 않았는데도 배가 점점 나오고, 배에 가스가 차올라 불편함과 함께 통증이 느껴졌다. 두 번째 신호는 배변 습관의 변화였다. 잦은 설사를 하는데도 변비가 있었고, 매우 가는 변이 자주 나왔다. 물론 잔변감도 많았다. 세 번째 신호는 혈변이었다. 피로와 스트레스가 겹쳐 그냥 치질이겠거니 하고 생각한 것이 잘못이었다. 그 이후 식욕부진과 심한 복통을 느껴 병원을 찾았지만, 이미 늦은 때였다. 평소 몸무게 관리도 하고, 비만하지 않아 대장암은 상상도 못했는데……. 방심하다 허를 찔린 셈이었다.

항암치료를 마친 후에는 더 각별하게 신경을 써야 한다. 암 환자는 수술과 항암의 힘든 과정을 겪으면서 면역력이 떨어져 일반인에 비해 질병에 더 취약하기 때문이다. 감염병에 걸리거나 이로 인한 합병증이 발생할 가능성이 높은 것이다.

항상 자신의 몸에 관심을 기울이고, 어떤 변화가 있는지 체크해야 한다. 어린아이가 갓 태어나면 변 색깔을 통해 건강을 확인하곤 한다. 어른도 마찬가지다. 항상 자신의 변을 확인하고, 그에 맞춰 음식을 가려 먹고, 운동도 하면서 건강을 챙겨야 한다. 임금님의 매화(변)를 의녀들이 확인했다면 암 환자는 스스로 보디 사인을 체크하고 이상이 있으면 적극적으로 검진을 받아 선제적으로 건강을 챙기자.

Part
2

끈질긴 암세포와의
숨바꼭질, 항암치료

완치라는 고지가 머지않은 지금도 항암치료를 떠올리면 구역질이 날 만큼 힘든 기억으로 남아있다. 지금 이 글을 쓰면서도 구역감이 있다. 하지만 그 과정을 잘 견뎌낸 지금 건강한 일상을 보내고 있다. 파트 2에서는 항암치료가 너무 고통스러워 중간에 포기하고 싶어지는 순간이 올 때 '난 할 수 있어'라는 믿음으로 이겨냈던 과정을 담았다. 이 책을 읽는 암 환우들도 나처럼 끝까지 포기하지 않기를 바란다.

차라리
수술이 낫다

암 치료에는 3가지 표준 치료가 있다. 수술과 항암 약물치료, 마지막으로 방사선 치료다. 수술은 암세포를 뿌리째 뽑아 완전히 고치는 근치법根治法이다. 항암 및 방사선 치료는 암세포가 퍼져 있는 부위가 넓거나, 전이가 진행되는 등 수술이 곤란할 때 사용하는 보조요법이다.

항암 약물치료는 온몸을 돌아다니는 혈관에 항암제를 투여한다. 그러다 보니 멀쩡한 정상 세포도 공격한다. 부작용과 함께 후유증이 만만치 않아 상당히 고통스럽다. 방사선 치료는 특정 부위에 방사선을 쬐어 암세포를 녹이는 것인데, 정확도가 떨어지면 괴사(생체 내의 조직이나 세포가 부분적으로 죽는 일)나 섬유화(장기나 조직에 섬유 결합 조직이 과도하게 증식되는 일) 등 부작용이 뒤따른다.

암세포를 공격하는 전쟁터는 내 몸이기에 아픔과 상처를 남기기 마련이다. 나는 방사선 치료는 받지 않고, 수술과 항암치료로 암과 싸워나갔다. 첫 번째 수술은 직장과 간에 자리한 암세포를 제거하는 것이었다. 수술실의 자동문이 열리자 나를 맞이한 것은 서늘한 냉기였다. 두려운 마음을 들키기라도 한 듯 몸이 떨렸다. 하지만 '수술하면 몸이 깔끔해지겠지'라고 위안하며 스스로를 달랬다.

마취제가 투여된 후 의식을 잃었고, 10시간의 수술을 마치고 눈을 뜨자 말 그대로 생살이 찢어지는 고통이 찾아왔다. 묵직하면서도 날카로운 비수로 찌르는 듯한 통증으로 몸을 제대로 가눌 수 없었다. 몸과 마음을 사납게 할퀸 고통에 눈물이 절로 났고, 진통제를 늘리자 조금씩 가라앉았다.

두 번째 수술은 흉강경을 통해 폐에 침투한 암세포를 잘라내는 수술이었다. 첫 번째 수술에 비해 수월한 편이었지만 수술 후 회복하기 전까지 정말 힘든 시간을 겪었던 터라 여전히 두려웠다.

수술 부위에서 출혈이 있기 마련인데, 이때 나온 피가 배출되지 않고 고이게 되면 염증과 감염 등의 위험이 있다. 그래서 옆구리 쪽에 튜브를 박아 고여 있는 피를 밖으로 빼냈다. 그러다 보니 숨 쉬는 게 무척 힘들었다. 흉터만 남은 그 자리는 지금도 비가 오거나 흐린 날이면 쑤시고 아프다.

세 번째와 네 번째 수술도 같은 과정이었지만 담담하게 받아들이며 통증을 견뎌낸 것 같다. 행복했던 순간이나 대표팀 주치의로 축구장을 누볐던 즐거운 추억 등을 소환하며 '수술 받고 나면 좋아질 거야'라는 긍정적인 생각으로 육체적 고통의 크기를 줄여나갔다.

수술과 마찬가지로 항암치료가 주는 후유증도 만만치 않았다. 머리부터 발끝까지 몸 구석구석을 파고드는 아픔에 잠을 제대로 자지 못했다. 고통으로 순위를 매긴다면 아마도 '끝판왕'일 것 같다.

특히 항암치료 기간 동안 몸은 물론 마음까지 다운시켜 사람들과 어울려 사는 일상생활을 어렵게 하는 것도 힘들었다. 만일 치료 방법으로 수술과 항암치료 중 한 가지를 골라야 한다면 항암의 지난한 괴로움보다는 수술의 순간적인 아픔을 택할 것 같다. 그래서 항암치료 기간에 비록 겁은 났지만 수술 날짜를 손꼽아 기다렸나 보다.

도살장으로 끌려가는 기분,
항암치료

항암치료를 받으러 갈 때면 마치 도살장에 끌려가는 느낌이었다. 항암제를 맞고 나면 수시로 토하고, 입부터 항문까지 느껴졌던 고통 등 무서웠던 기억들이 조건반사적으로 떠오르기 때문이다.

항암제 주사실 분위기도 별로였다. 코를 찌르는 화학약품 냄새도 싫었고, 어떨 때는 음산한 기운마저 감돌아 기분이 다운되었다. 몸이 극도로 예민해져 있을 때는 소독제 냄새만 맡아도 헛구역질이 올라올 정도였다.

나에게 의사가 내린 항암치료 요법 처방은 먼저 구토방지제 투여였다. 이어 표적항암제인 얼비툭스Erbitux Injection를 맞고, 캠푸토(이리노테칸, 항종양제로 식물성 알칼로이드로 불리는 계열 항암제)와 5-플루오로우라실5-FU, 5-fluorouracil이라는 암세포 합성 차단과 성장을 억제하는 항암제를 순차적으로 맞았다.

재발했을 때에는 약제를 바꾸었다. 구토 방지를 위해 스테로이드를 맞으면 항문 주위가 따끔따끔하는 느낌이 들다가 냉장 상태의 항암제가 혈관에 들어가면 체온이 떨어지고 불쾌한 느낌이 몸을 파고든다. '핑' 도는 기분과 함께 몸에 힘이 빠지면서 귀가 먹먹해지고 목이 막힌다.

하루가 지나면 정신이 몽롱하고, 피로와 무기력감이 전신을 휘감아 휴대전화나 TV 리모컨을 들기도 힘들다. 항암제와 함께 주렁주렁 달린 수액 등을 맞아 야간에는 화장실을 들락거리느라 잠을 제대로 잘 수 없다.

식사 시간에 밥 냄새를 맡는 것도 여간 고역이 아니었다. 또 음식을 먹어도 맛을 느낄 수 없고, 소화가 잘 안 되다보니 충분히 먹지도 못했다. 그렇게 항암치료를 받는 기간 동안 60kg이던 몸무게가 51kg으로 감소할 만큼 야위었다. 이 같은 항암치료는 초기에는 2주 간격을 두고 2박 3일간 입원해서 받다가 이후에는 통원하면서 받았다.

항암제가 투여된 후 3일가량은 그야말로 몸이 녹다운된다. 이어 3~4일이 지나면 차츰 기운이 차려지고, 일주일쯤 50~60% 회복

된다. 그러다 몸이 쌩쌩해졌다고 느낄 무렵이면 다시 항암치료 받는 날이 다가온다. 컨디션이 정상으로 돌아온 순간을 느긋하게 누려보지 못한 채 다시 항암제를 만나러 가는 격이었다. 즉 부작용 증상이 나아지면 다시 항암제를 투여받고, 다시 부작용을 겪는 악순환의 반복이었다.

항암치료 횟수가 늘어날수록 더 많이 힘들었다. 약이 몸속에 누적되기 때문이었다. 무엇보다 항암치료를 받는 동안의 고통은 오롯이 내가 겪어내야 하는 것이라서 정말 외로웠다.

영악한 암세포와
숨바꼭질하다

암세포는 우리 몸속에서 매일 생성된다. 외부에서 침입하는 세포가 아닌 내 몸 안의 세포다. 의학적으로 보면 내 몸의 정상 세포가 돌연변이를 일으킨 것이다. 그래서 암세포가 더 무서운 존재일 수도 있다.

우리 몸 구석구석을 잘 아는 암세포이기에 생존 능력이 뛰어나고 성장 속도가 빠르다. 세력 확장(증식)을 위해 건강한 세포에 침투한 뒤 에너지를 뺏는다. 또한 전이 능력도 탁월하다. 치아, 손톱, 발톱 등을 제외한 우리 몸 어디에서든 성장할 수 있는 활동성을 지녔으니까. 암이 국소 질환이 아닌 전신 질환으로 불리는 이유다.

'동에 번쩍, 서에 번쩍' 하는 암세포를 단칼에 제압하기는 거의 불가능에 가깝다. 그런 무적의 암세포를 공격하는 무기들이 있는데, 대표적인 것이 앞서 언급한 항암치료다. 항암치료는 암세포 크기를 줄일 뿐 아니라 전이를 방지하고, 재발 위험성을 낮추기 위한 약물치료법이다.

'도망자' 암세포와 '추격자' 항암제의 쫓고 쫓기는 관계 속에서 암세포는 교활하고 영악하다. 암세포는 항암제가 내 몸 안에 들어오면 귀신같이 알아챈다. 줄기세포나 혈관 등 자신만의 은신처로 잽싸게 몸을 숨겨 한동안 쥐 죽은 듯이 지낸다. 그러다 항암제의 약발이 서서히 떨어질 무렵 발톱을 드러낸다. 그동안 발휘하지 못했던 맹렬한 힘을 폭발시키며 내 몸을 괴롭힌다. 재발하는 것도 이와 비슷한 이유다. 이처럼 항암치료는 영악한 암세포와 고단한 숨바꼭질이다.

꼭꼭 숨어 있는 암세포를 찾아 뿌리를 뽑아내는 숨바꼭질의 결과에 따라 항암치료의 횟수가 좌우된다. 이는 암 환자의 삶의 질과도 직결된다. 항암치료의 횟수가 거듭될수록 항암제의 독성이 몸에 쌓여 더 많이 힘들어지기 때문이다. 항암제는 암세포뿐만 아니라 우리 몸에서 빠르게 분열하고 증식하는 모든 세포를 공격한다. 소화기관을 비롯해 머리카락 세포, 골수의 조혈모(혈액) 세포, 구강과 장의 점막 세포 등 전신에 많은 후유증을 일으킨다.

하지만 항암치료가 주는 혹독함만큼 삶에 대한 의지와 희망은 더 커졌다. 몸과 마음이 지칠 때 "힘이 들 땐 하늘을 봐, 나는 항상 혼자가 아니야. 비가 와도 모진 바람 불어도 다시 햇살은 비추니까……"라는 노래 가사를 흥얼거리며 나를 응원하는 가족과 지인들을 생각하며 버텨나갔다.

암 환자들이
신발을 크게 신는 이유

항암제는 암세포를 파괴하는 무기다. 하지만 정상적인 세포도 함께 공격해 몸에 악영향을 끼친다. 체중이 줄어 벨트를 점점 더 안쪽으로 당겨 채우는 등 다양한 외형적 변화들을 온몸으로 느끼게 된다.

가장 두드러지는 신체 변화는 탈모다. 항암제 부작용으로 모낭 세포가 파괴되면서 머리카락이 빠지는 것이다. 손으로 머리카락을 쓸어올릴 때 한 움큼 뽑힌 것을 보면 정말 착잡하다. 항암제를 맞는 동안 나타나는 일시적 현상으로 항암치료가 끝나면 머리카락은 다시 자란다. 하지만 아침마다 세면대 위로 속절없이 떨어진 머리카락을 보고 있으면 조만간 대머리가 될 것 같은 두려움에 휩싸이게 된다.

손톱과 발톱이 새까맣게 변색되고, 찌그러졌다. 얼굴 부종과 함께 나타난 홍조 현상은 나를 순식간에 수줍은 사람으로 만들어버렸다. 이전과 다르게 찾아온 또 다른 변화는 신발 사이즈다. 평상시에는 250mm를 신었는데, 항암치료 후에는 260mm 이상을 신어야만 했다.

발이 자주 붓기도 하고, 발톱과 피부 사이가 벌어져 속살이 삐져나와 염증이 생기고 피가 났다. 당연히 걸을 때마다 극심한 통증을 느꼈다. 또한 발바닥과 발뒤꿈치에 굳은살이 생기고, 건조해져 갈라진 틈으로 피도 났다. 그래서 발이 신발에 살짝 닿기만 해도 너무 아파 걸을 수 없을 정도였다. 당연히 발볼이 넓고 한 치수 또는 두 치수 정도 사이즈가 큰 신발을 찾을 수밖에 없었다.

손톱도 마찬가지다. 손톱이 피부에서 떨어져 피가 났다. 손끝과 손가락 마디, 손가락 끝의 피부가 벗겨지고 갈라지는 바람에 컴퓨터 자판을 치거나 스마트폰을 터치할 때조차도 통증이 심했다. 모두 수족증후군의 전형적인 증상들이었다. 또한 손발이 저리면서 손끝의 감각도 느껴지지 않았다. 바늘로 콕콕 찌르면서 따끔거리는 통증으로 물건 들기가 어려웠고, 찬물에 닿으면 손이 아팠으며, 캔 음료를 따거나 생수병 뚜껑을 여는 것조차 버거울 정도였다.

무엇보다 혼자 옷을 입는 것이 너무 힘들었다. 바지를 올릴 때 손끝이 아파서 손바닥을 이용해 간신히 올렸다. 특히 단추 끼우는 것이 어려워 의류 매장에서 단추 없는 니트류의 옷만 사 오기도 했다. 이는 손발 말초신경염으로 인한 것이다. 항암제의 강한 독성 탓에 손톱과 발톱의 말초신경에 산소 공급이 원활하게 이뤄지지 않기 때문에 나타나는 증상인 것이다.

수족증후군과 말초신경염은 일상생활을 하는 데 커다란 방해가 될 정도로 불편하고, 고통스러운 증상이었지만 정작 더 큰 고민은 따로 있었다. 통증 탓에 걷는 속도가 느려졌고, 발이 아파 큰 신발을 신자 마치 펭귄처럼 뒤뚱뒤뚱 걷게 돼 삶의 질과 함께 자신감마저 뚝 떨어진 것이있다.

그러자 더 이상 밖에 나가기가 싫어졌다. 아니 그런 내 모습을 누가 볼까 두려웠던 게 더 적확한 표현일 것이다.

항암제가 내 몸에 남긴
흔적 38가지

'자동차 키를 어디에 뒀지?'
'아침에 먹었던 반찬이 뭐였더라……'
'주말에 다녀왔던 산 이름이 뭐였지?'

    항암치료를 받은 후 기억력에 빨간불이 들어왔다. 며칠 전에 일어난 일도 기억하지 못했고, 약속해놓고도 깜빡 잊어버리는 실수도 빈번하게 벌어졌다. 또한 상황에 맞는 적절한 단어가 금세 떠오르지 않아 한참을 고민한 적도 있었다.

독한 항암 성분이 뇌세포를 손상시켜 일으킨 단기기억장애로 항암 후유증 가운데 하나였다. 항암제의 부작용은 몸의 부드러운 점막 세포가 있는 모든 곳에서 발생한다. 입 안 점막 세포가 떨어지면서 구내염, 대장 점막이 떨어지면서 설사와 변비, 위장 점막이 떨어지면서 구토, 그리고 말초신경염과 수족증후군 등 다양하게 나타난다.

입 안이 헐면 잘 먹지 못해 힘들었고, 항문이 헐면 화장실 가는 것이 고역이었다. 3년여간 내 몸을 훑고 지나갔던 항암제 부작용을 정리하면 다음과 같다.

'말초신경염, 수족증후군, 오심(울렁거림), 구토, 설사, 변비, 구내염, 구강건조증, 식욕 감퇴, 어지럼증, 무기력증, 탈모, 소화불량, 피부 발진, 손발톱 변색, 우울, 불면증, 예민함, 불안감, 피로감, 관절통, 근육통, 복통, 흉통, 소변 장애, 가려움증, 근감소증, 집중력 저하, 오한, 체중 감소, 기운 없음, 연하곤란(음식물을 삼키기 힘든 상태), 홍조, 잇몸병, 단기 기억장애, 수술 부위 통증, 관절 뻣뻣함, 몸의 변형' 등 종류만 무려 38가지에 이른다.

이 같은 부작용은 동시다발적으로 진행되거나, 릴레이식으로 돌아가면서 내 몸을 괴롭혔다. 특히 컨디션이 좋지 않거나 잘 먹지 못했을 때는 더 심하게 나타났다. 구내염이 조금 가라앉으면 갑자기 목구멍에 통증이 느껴지고, 아랫배가 살살 아프고 두통도 찾아왔다. 마치 오심과 구토의 시간이 지나가면 근육통과 수족증후군 등이 그 자리를 대신하는 식이다.

이는 항암제 약물이 몸에 축적된 만큼 부작용도 비례해서 늘어나기 때문이다. 하지만 사람을 미치게 하는 부작용의 최고봉은 '설사와 변비'였다. 설사가 심해 지사제를 복용하면 변비가 찾아온다. 그러다 변비를 해결하기 위해 약을 먹으면 다시 설사가 문제다. 어느 장단에 춤을 춰야 할지 모르는 악순환의 반복에 몸은 지칠 대로 지쳐갔다.

항암 후유증,
슬기로운 나만의 대처법

"항암치료의 부작용만 잘 극복한다면 암을 이기는 느낌이다."

36차례 걸친 항암치료를 마무리하면서 든 생각이었다. 암 완치로 가는 여정에서 항암 후유증에 대한 효율적 대처는 절대적 비중을 차지한다. 다음에 소개하는 각 후유증에 맞는 대처법을 잘 기억해놨다가 그에 맞게 실행해보자. 직접 경험해보니 항암치료 부작용만 지혜롭게 이겨내면 훨씬 빨리 회복할 수 있었다.

암 환자는 소소하게 부지런해야 한다. 몸에 상처가 생기지 않도록 주의하고, 후유증이 생겼을 때 즉시 대처하도록 하자.

구내염

내 경험상 입 안이 헐고 궤양이 생기는 구내염의 경우, 처음 아플 때부터 연고를 발라 발생 빈도를 줄였다. 짜고 맵고 뜨거운 음식은 피하면서 염증을 가라앉히기 위해 병원에서 주는 가글을 수시로 하는 것이 좋다. 하루에 최소 4번 이상을 해주는 것이 바람직하다.

입 안 통증이 심해 음식 섭취가 어려울 때는 갈아서 먹거나, 빨대를 사용하는 것도 도움 된다. 나는 찬물과 탄산수, 사이다 등으로 입 안을 차게 한 뒤 음식물을 겨우겨우 넘겼다. 입 안에 얼음을 물고 있는 것도 통증 완화를 위한 방법으로 추천할 만하다. 잇몸이 벌어지고 아플 때는 주기적으로 스케일링을 해 관리하면 증상 완화에 도움이 된다. 언제 생길지 모르기 때문에 미리 대비해두는 것이 좋다.

구토

구토의 경우 의사에게 처방받아 약을 먹는 것이 좋다. 물론 약을 먹어도 솔직히 구역질이 난다. 그래도 약 복용으로 구역질 횟수를 줄여 밥을 먹기 위해 노력하는 것이 중요하다. 가급적 다양한 음식 섭취를 시도해 구역질이 덜 나는 것으로 선택하고, 입 안에서 많이 씹어 넘기는 것이 좋다. 나는 담백하고 고소한 맛이 나는 음식을 먹을

때 구역질이 덜 났다. 이는 각 환자마다 다를 수 있으니 평소 좋아
하던 음식뿐 아니라 잘 먹지 않던 음식도 먹어보도록 권한다. 후각
적으로나 미각적으로 역하지 않은 음식을 찾아 잘 먹는 것이 중요
하니 말이다.

소화불량

또 배를 항상 따뜻하게 유지하는 것도 좋다. 배가 차면 소화가 잘되
지 않고, 그러면 당연히 먹는 것도 부담스러울 수밖에 없다. 그러니
어릴 때 엄마가 해주시던 '엄마 손은 약손'처럼 복부 마사지를 해주
자. 그러면 소화도 잘되고, 구역질도 완화되는 것을 느낄 수 있을 것
이다. 혹 그게 어렵다면 온찜질기 등을 활용해도 좋다. 단 화상을 입
을 수 있으니 40도 이하로 미지근하게 온도를 유지하자.

소화가 안 되면 소화제를 먹고 속을 달래주어야 한다. 대부분 암
환자들은 약 먹는 것을 주저한다. 이미 약이라면 너무 많이 먹고 있
다고 생각해서 그런지 웬만하면 약을 먹지 않고 증상을 완화시키고
자 노력하는 환자들을 많이 봤다. 하지만 알다시피 암 환자가 할 수
있는 것은 별로 없다. 그러니 증상을 신속하게 완화시키기 위해 담
당 의사에게 소화제를 처방 받거나, 집에 있는 상비약이라도 복용
하길 바란다.

또 하나 구토할 때 대부분 몸을 숙이는데, 자칫 소화불량으로 이
어질 수 있다. 그러니 몸을 반듯하게 펴서 복부가 눌리지 않도록 유

의해야 한다.

수족증후군

수족증후군으로 발이 불편할 때에는 실리콘이나 쿠션이 좋은 깔창을 넣어 발바닥에 가해지는 충격을 줄이는 것이 바람직하다. 특히 갈라져서 피가 나면 2차 감염이 일어날 수 있기 때문에 소독한 뒤 항생제나 소염제 연고를 바르고 밴드를 붙이는 것이 좋다. 샤워하거나 탕 속에 들어갈 때도 물이 들어가 염증 생기는 것을 방지하기 위해 방수밴드를 꼭 붙여야 한다.

손발 건조증

항암치료를 받으면 앞서 말한 것처럼 말초신경까지 혈액순환이 잘 안 된다. 그래서 손과 발이 건조해지기 일쑤다. 그러니 알코올 성분이 없는 보습크림을 사용하고, 뜨거운 물에 손과 발을 장시간 담그는 것은 피해야 한다. 그렇지 않으면 피부가 오히려 더 건조해져 갈라지고, 피가 나기 쉽다.

손을 보호하기 위해 면장갑 착용을 적극 추천한다. 컴퓨터 자판을 사용할 때는 손끝이 자극되어 아프고, 염증이 발생할 수 있다. 이때 손가락 골무를 끼고 하면 도움이 된다.

말초신경염

말초신경염의 경우 뜨거운 물에 손이나 발을 담그거나 차가운데 노출되면 통증이 더 심해진다. 또한 화상을 주의해야 하는데 증상이 심해지면 감각이 둔해져 뜨거움을 느끼지 못하기 때문이다. 손과 발을 깨끗이 씻고, 손톱과 발톱은 너무 짧게 자르지 않도록 해야 한다. 또 상처가 나지 않도록 주의하고, 부드러운 면양말과 실내화를 착용하는 것이 좋다. 손끝을 자주 마사지해주고, 주먹을 쥐었다 폈다 같은 동작을 반복하면 증세가 완화된다.

설사

설사의 경우 충분한 수분 섭취와 링거주사 같은 수액주사를 통해 부족한 체액을 보충하는 것이 중요하다. 또 장이 자극되지 않게 따뜻한 물을 마시는 것이 좋다. 배를 따뜻하게 해주면 통증도 줄고 도움이 된다. 소화가 잘 되는 부드러운 미음을 먹은 뒤 설사가 멈추면 죽에 이어 밥을 먹는다. 설사가 잦으면 항문을 자극해 상처 나기 쉽고, 2차 감염으로 이어질 확률이 높다. 그러니 항상 용변을 본 후 따뜻한 물로 청결하게 씻은 뒤 잘 건조시키는 것이 좋다. 여벌의 속옷을 준비하고, 항문을 오므리는 수축 운동을 하면 좋다.

변비

변비의 경우 과일과 채소 등 섬유질이 풍부한 음식을 섭취하고, 적절한 장 운동과 함께 좌욕이 도움 된다. 또한 수분을 많이 함유한 음식이나 물과 주스, 이온 음료 등을 먹거나 복부 마사지를 해주면 좋다.

앞서 언급한 부작용들은 항암치료가 끝나면 대부분 사라지고 회복되지만 일부는 지속되는 것도 있다. 나 역시 지금도 손상된 말초신경이 다 회복되지 않아 손끝이 저리고 아프기도 하다. 항암제가 주는 두려움이 내 몸에 꽉 차 있는 것 같다. 이 같은 부작용을 항암치료의 통과의례로 여기며 고통을 참는 것은 바람직하지 않다. 의료진과 상의해 약을 처방 받아 복용하는 등 부작용 완화법을 적극적으로 하는 것이 슬기로운 투병 생활이다.

굶어 죽지 않으려면
먹어야 한다

'사람은 결국 굶어 죽는다.'

세브란스병원 인턴 시절, 질병과 죽음에 대해 이야기를 나누다 한 선배가 던진 말이다. 인간이 굶으면 영양 섭취가 부족하고, 영양 실조는 몸의 면역력을 떨어뜨리고, 면역력 저하는 결국 사망으로 이어진다는 것이 요지였다. 당시 나는 이 말을 머리로만 이해했다. 하지만 약 35년이 지나 암 환자가 된 후 가슴으로 깊게 공감하게 되었다.

암 환자는 기본적으로 입맛이 없다. 이는 암에 대한 공포심이 식욕부진으로 이어져서다. 또 다른 이유는 암세포가 다양한 식욕 억제 물질을 배출해 미각과 후각에 이상을 초래하거나, 조기 포만감 등으로 입맛을 빼앗기 때문이다. 이런 상황에서 항암제가 몸 안에 들어오면 위, 장 점막을 자극해 먹다가 토하고, 더 나아가 음식 자체를 받아들이지 못하게 된다.

나 역시 항암치료 기간에 식욕부진으로 고생했다. 구토와 설사가 2~3일간 지속되는 바람에 거의 먹지 못해 수액으로 버티기도 했다. 하지만 항암치료를 받을 때는 어떻게든 먹어야 한다. 먹을 수 있는 건 무엇이든 닥치는 대로 먹어야 한다. 그야말로 전투적인 자세로 다섯 끼, 여섯 끼라도 계속 먹어야 한다.

이렇게 먹는 것을 강조한 이유는 충분한 영양 공급을 통해 체력을 유지해야만 독한 항암치료를 견뎌낼 수 있기 때문이다. 또 잘 먹어서 면역력을 어느 정도 길러놔야 수술 후 합병증 발생 가능성도 줄일 수 있다.

하지만 먹는 것을 피해야 할 때도 있다. 항암제를 투여하기 한두 시간 전으로 되도록 음식을 삼가는 것이 좋다. 구토를 유발할 수 있기 때문이다. 이때를 제외하면 따로 식사 시간을 정해놓지 않고 허기를 느낄 때마다 배를 채워주는 것이 좋다.

달아난 입맛을 돋우기 위해 레몬주스나 오렌지 등 상큼하고 신맛 나는 음료수를 마시는 것을 추천한다. 특히 물을 조금씩 자주 마셔 혈액 속 독한 항암제를 희석하는 것도 후유증을 줄이는 방법 가운데 하나다.

먹는 것이 중요했던 항암 투병에서 나는 우연히 소울 푸드를 만나 작은 위로를 받았다. 2박 3일간의 항암치료를 마친 토요일 오후. 입맛도 없고 몸에 힘도 빠졌지만 뭔가를 먹어야만 살 수 있다는 느낌이 강하게 들었다. 세브란스병원에서 걸어 나와 연세대 학생회관 지하 식당으로 가는데, 고소한 냄새가 나의 후각을 자극했다.

바로 돈가스였는데, 그야말로 꿀맛이었다. 항암치료의 고단함을 달래준 그 맛은 지금도 잊을 수 없다. 맛있게 식사를 마치자, 자유로운 학교 교정이 눈에 들어와 여유롭게 산책할 수 있었다. 풋풋하고 열정 넘쳤던 대학 시절을 추억하는 시간 만큼은 항암의 고통이 느껴지지 않았다. 소울 푸드가 내게 선물해준 힐링의 순간이었다.

아프고 힘들지만
끝은 있다

항암치료는 암 환자라면 피해갈 수 없는 숙명이다. 항암제가 주는 고통은 무섭고 두렵다. 치료의 횟수가 늘어날수록 고통의 강도는 더욱 높아진다. 그래도 처음 4~5번 항암치료할 때는 잘 버텼다. 그러나 점점 생전 겪어보지 못한 부작용을 경험하면서 당황스러웠고, 황당했고, 두려워졌다.

'이게 뭐지?'
'왜 이런 거지?'

이론적으로는 책을 읽어 이미 어떤 증상들이 나타나는지 잘 알고 있었다. 하지만 이론적으로 아는 것과 다양하게 나타나는 후유증을 온몸으로 직접 느끼는 것은 정말 달랐다. 그래서 주사를 맞으러 갈 때마다 '제발 이번이 마지막이었으면……' 하고 간절히 바라고 또 바랐다.

말기암 환자인 나에게 항암치료는 마라톤 풀코스를 완주하는 것 같았다. 아무리 연습해도 사점에 도달할 정도로 숨이 턱에 차고, 육체가 한계점에 다다를 정도로 고통스러운 과정, 내가 경험한 항암치료가 딱 그랬다.

나는 직장과 간에 자리한 암세포의 크기를 줄여 수술 받을 수 있는 상태를 만들기 위해 항암치료를 시작했다. 머리로는 '힘들겠지' 하고 생각했지만, 막상 겪어보니 생각했던 것보다 훨씬 괴롭고 고통스러운 과정이었다. '불에 한 번 데인 경험이 있는 아이는 불을 무서워한다'는 말처럼 항암치료가 주는 고통의 크기를 알면 알수록 치료일이 다가오면 가슴이 답답하고 두려운 마음에 머리가 멍해질 정도였다.

하지만 한 치 앞을 알 수 없는 항암의 터널에 진입했기에 되돌아갈 수는 없었다. 항암 주사로 녹다운됐다가 컨디션을 서서히 회복할 무렵에 다시 항암치료를 받아야 하는 2주 간격의 항암 사이클이 수차례 반복되었다. 하지만 그만둘 수는 없는 일이었기에 긍정적인 생각을 하면서 견뎌냈다.

'항암으로 암세포를 차단해 재발과 전이를 막아야 완치의 길에 접어들 수 있다.'

하지만 마라톤을 완주하기 위해 넘어야 할 고비가 있는 것처럼 나에게도 위기가 찾아왔다.

전통 깊은 보스턴 마라톤 코스에는 출발 후 32km 지점에 800m 거리의 오르막이 있다. 참가 선수들이 이 지점을 달릴 때 심장이 터질 것 같은 고통을 느낀다고 해서 일명 '허트브레이크 힐Heartbreak Hill'로 붙여진 구간이다. 완주를 위해서는 반드시 넘어야 할 구간이자 최대 고비로 꼽힌다. 그리고 고통을 참고 이곳을 통과할지, 아니면 그대로 주저앉을지 여부는 온전히 마라토너에게 달려 있다.

나 역시 항암치료를 받으면서 고비가 있었다. 자존감마저 무너뜨릴 만큼 최악의 고통을 선사한 개복 수술 뒤 진행된 항암치료와 암세포 재발에 이은 항암치료는 모든 걸 포기하고 싶은 생각을 절로 들게 했다. 하지만 그동안 힘들었던 과정을 떠올리며 '이 또한 지나가리라'는 믿음으로 버텼다.

이런 시간들을 잘 버텨 2018년 8월에 시작된 항암치료는 2021년 6월, 무사히 피니시라인을 통과할 수 있었다. 물론 항암치료를 받는 기간은 정말 힘들고 외로웠다. 하지만 큰 깨달음을 얻은 시간이기도 하다. 인간은 막상 위기에 닥치면 어떻게든 견뎌내는 의지가 강한 존재라는 것이다. 아무리 항암치료가 아프고 힘들어도 끝은 있기 마련이기 때문이다. 포기하지 않고, 자신을 믿으면 결국 직장암 말기도 건강해질 수 있다. 암세포가 내게 준 선물은 '인내와 끈기', 그리고 '기다림의 미덕'이었다.

몸보다
마음이 문제였다

'앞으로 얼마나 더 독한 항암치료를 잘 견뎌낼 수 있을까?'
'이렇게 사느니 차라리 죽는 게 낫지 않을까?'

한동안 내 마음에 자리했던 부정의 덩어리들이다. 내게 암에 걸린 사실은 정말 믿고 싶지 않은 현실이었다. 처음 암이라는 진단을 받은 후 미래에 대한 걱정과 괴로움이 정말 컸다. 그런 생각과 감정이 쌓여 부정적인 덩어리가 몸 한쪽에 자리하게 된 것이었다.

암세포가 침투한 몸보다 마음이 더 문제였다. 원망과 부정, 두려움과 외로움이라는 덫에 걸렸던 것이다. 그러다 보니 우울감도 생기고 마지막 보루인 마음까지 무너져내린 느낌이었다. 이런 상태에서 암을 마주하면 속절없이 당할 수밖에 없었다.

암과의 싸움은 속전속결의 단기전이 아닌 묵묵히 버텨야 하는 장기전이다. 당연히 부정적인 감정이 앞서면 질 수밖에 없다. 이때 부정의 늪에서 빠져나오는 가장 쉬운 방법은 마음의 짐을 내려놓고 편하게 하는 것이었다.

'불행한 마음은 불행을 가져오고, 희망적인 마음은 희망을 가져온다.'

우울감이 최고조에 이른 어느 날 이런 생각을 하게 되면서, 암을 있는 그대로 받아들였다. 그리고 긍정의 마인드, 나을 수 있다는 확신, 매일 하루가 주어진다는 것에 감사한 마음으로 어두운 생각들을 밀어냈다.

사실 몸과 마음은 이어져 있다. 마음이 강하면 몸도 강하고, 몸이 강하면 마음도 강해진다. 반대로 마음이 무너지면 몸 전체가 무너진다. 냉혹한 승부의 세계에서 '할 수 있다'는 강한 의지를 지닌 국가대표 선수들이 기적 같은 드라마를 연출하는 모습을 숱하게 본 나였기에 '긍정의 힘'을 믿기로 했다.

나영무 박사의 암 치유 기적의 운동

그때부터 암을 인생의 종착역으로 보지 않고, 거쳐야 하는 과정으로 생각했다. 죽음의 병이라 일컬어 지지만 암 역시 수많은 질병 가운데 감기처럼 누구나 걸릴 수 있는 것으로 여겼다. 이러한 생각 전환하기는 투병 생활하는 데 정말 큰 도움이 되었다. 긍정적인 생각은 우리 몸의 면역력을 높인다. 심리상담사인 가엘 린덴필드는 《마음 면역력》에서 자기 자신을 돌보고, 긍정적으로 사고하는 것을 연습하면 면역력을 높일 수 있다고 했다. 그리고 실제로 나는 생각 전환하기로 면역력을 높일 수 있었다.

암 진단 당시 내 생존율은 5% 미만이었다.

'1%의 가능성에도 희망이 있는데, 나는 무려 5%나 된다.'

이렇게 생각하니 마음이 한결 가벼워졌다. 항암치료의 고통과 부작용이 심해질 때도 마찬가지였다.

'정말 내 몸이 열심히 암세포와 싸우고 있구나.'

이렇게 생각하니 조금 더 참을 만했다. 물론 수시로 불안한 마음이 올라오는 건 사실이다. 하지만 아무리 열악한 상황이라 할지라도 살겠다는 의지만 있다면 얼마든지 해볼 만한 하다고 생각한다. 그동안 암에 걸렸다는 사실로 불안해하고, 부정적인 생각만 하고 있었다면, 이제 여유 있고, 긍정적인 마인드로 바꾸자. 아마 지금 이 순간이 다시 새롭고, 소중하게 여겨질 것이다.

암을 극복하기 위한
현명한 '선택'법

암에 걸리면 생각보다 수없이 많은 '선택'의 순간에 직면한다. 수술할지, 항암치료를 어떻게 할지 등. 물론 담당 의사가 가이드도 해주고, 조언도 해주고, 처방도 해주지만 이 모든 순간 결정하는 사람은 나 자신이다. 심지어 어떤 음식을 먹을지, 어떤 기분으로 투병 생활을 할지, 어떻게 사람들과 관계를 맺을지도 내 선택에 달렸다.

이번에는 투병 생활에 필요한 '선택'을 어떻게 하면 현명하게, 더 지혜롭게 할 수 있는지에 대해 이야기하려고 한다.

'○○○ 치료로 암을 이겨냈다. ○○ 먹고 암을 완치했다.'

암 환자들과 가족들의 귀를 솔깃하게 하는 말이다. 나에게도 '이게 좋다, 저게 좋다' 하는 여러 유혹들이 있었다. 개 구충제인 펜벤다졸^{Fenbendazole}이 암 환자들의 지대한 관심을 끈 적이 있다. 동물의 체내 기생충이 먹는 영양분의 공급을 끊어 기생충을 굶겨 죽이는 원리를 인체 암세포에 적용

한다는 것이다. 의견이 분분했지만 입소문을 타면서 펜벤다졸 품귀현상
이 일어나기도 했다. 이런 현상이 일어난 배경에 항암치료에 지쳐 벼랑
끝에 몰린 암 환자들의 지푸라기라도 잡으려는 절박한 심정임을 이해한
다. 하지만 치료 방향의 중심을 잡아야 수많은 정보의 홍수 속에서 휘둘
리지 않고, 자신에게 맞는 방법을 선택할 수 있다. 그러려면 남의 떡이 커
보이는 치료 현실에서 올바르고 현명한 선택을 하기 위한 원칙을 세우는
것이 중요하다.

1. 치료의 주체는 환자 자신이어야 한다.

암 환자들은 같은 치료를 받고 약을 먹더라도 결과는 제각각이다. 어떤
환자는 효과가 좋은 반면 다른 환자는 별다른 징후도 없을 만큼 다양한
변수들이 존재한다. 또 같은 약제로 치료해도 부작용은 사람마다 다르다.
이는 환자마다 지닌 암의 성질이 다르기 때문이다. 자신의 상황에 적합한
치료를 선택해야 최선의 결과로 이어진다.

2. 검증된 과학적 치료 방법을 선택한다.

효과가 좋다고 맹목적으로 따라 하기보다는 의학적으로 검증이 되었느
냐, 아니냐를 기준으로 두고 택하는 것이 바람직하다. 인터넷에 떠도는
검증되지 않는 정보, 암에 효과가 좋다는 보신 식품, 그리고 근거 없는 특
효약에 현혹되지 말아야 한다. 쓸데없는 정보를 알아보느라 시간을 낭비
하다보면 오히려 치료 시기를 놓칠 수 있다.

수술, 항암 화학 요법, 방사선 치료 등 3대 표준 치료는 의학적으로 이미
오랜 시간 검증되었다. 물론 치료 과정이 쉽지 않지만 포기하지 말고 적

극적으로 임하자.

3. 암 보완 요법은 맞춤형으로 고른다.

갈수록 교활하고 영악해진 암세포를 공략하는 데 표준 치료 외에도 민간 요법에 비해 상대적으로 검증된 보완 요법들이 굉장히 다양하다.

미슬토(Misletoe, 항암치료 부작용 개선에 도움을 주는 면역주사) · 사이모신알파원 (Thimosin alpha 1, 면역세포 활성화) 등 면역 주사와 면역세포 주사, 항암 부작 용을 줄이는 데 쓰는 글루타민(L-glutamine, 아미노산의 일종으로 인체 내 질소 의 주된 운반체로 많은 세포의 주요 에너지원), 타치온(Tathion, 항산화, 말초신경병증 치료) 주사, 항산화 작용인 고용량 비타민 C 주사, 셀레늄 주사를 비롯해 고주파 온열 치료까지……

지원군을 고를 때 기준은 내 몸의 반응이다. 효능을 검증하고 시도해본 뒤 부작용 없이 몸에 맞는 것을 취하는 것이 좋다.

4. 의사의 말을 믿고 따른다.

주치의를 정했으면 그의 지시를 믿고 따르는 것이 암과의 장기전에서 매 우 중요하다. 의사는 해당 암에 대한 전문 지식과 여러 솔루션을 가지고 있기에 신뢰와 믿음을 지니면 치료 효과도 좋다. 사실 암 환자들은 '~카 더라'는 정보에 마음이 뺏기기 쉽지만 주치의만큼 환자의 상태와 향후 치 료 방법 등에 대해 명확히 제시해줄 수 있는 사람은 없다.

Part
3

재활의학과 전문의를 살린 암 극복 7법칙

4년여 동안 암 투병 생활을 하면서 암 환자들에게 꼭 알려주고 싶은 내용을 7가지로 정리한 것이다. 어떤 암에 걸렸더라도 이번에 소개하는 7법칙을 잘 생각해보고, 떠올리면서 어떻게 투병 생활을 할지 준비하자. 그러면 암 투병 생활이 훨씬 덜 두려울 것이다. 막연하고, 막막한 암 투병 생활이 아닌 자신이 주체적으로 할 수 있을 것이다.

제1법칙
내가 걸린 암,
공부해야 이긴다

암 극복을 위한 첫걸음은 내 몸에 찾아온 암에 대해 공부하는 것이다. '적을 알고 나를 알면 백전백승이다'라는 속담처럼 자신이 걸린 암에 대해 철저하게 공부하는 것이 필요하다.

나의 경우 우선 대장암의 정체와 치료 방법, 효과적인 약물 등을 위주로 살폈다. 특히 수술 후유증과 항암 약물치료의 부작용 등 몸 관리와 예방하는 방법을 꼼꼼하게 살폈다. 부작용을 어떻게 관리해야 하는지를 아는 것은 치료받으려는 의지를 강하게 하는 데 매우 중요한 역할을 하기 때문이다.

또 암의 정체와 치료법을 알고 나면 질병에 대한 두려움을 조금이나마 해소할 수 있게 된다. 물론 인터넷에 떠도는 수없이 많은 거짓 정보에도 쉽게 현혹되지 않는다.

우선 나는 병원에서 제공하는 암 관련 책자를 요긴하게 활용했다. 암 전문병원에서 발행한 〈항암치료의 부작용과 대처 방안〉이라는 교육 책자에는 종양내과 교수들의 치료 노하우 등이 풍부하게 담겨 있었다. 그 책에는 항암치료 부작용과 대처 방법을 비롯해 일상 생활 관리, 영양 관리, 통증 관리, 마음 관리 등이 소개되어 있어 암 투병 생활의 전반적인 흐름을 파악할 수 있었다.

또한 항암제 주사 치료에 관한 소책자에는 내 몸에 투여되는 항암제의 종류와 맞는 순서, 구토방지제 등 약물에 대한 정보를 한눈에 파악할 수 있었다. 좀 더 전문적인 내용들을 알고 싶을 때는 의학 교과서를 찾아보기도 했다.

하지만 가장 쉬운 정보 탐색 방법은 역시 인터넷이나 신문기사를 통해 암 관련 치료법 등을 살펴보는 것이었다. 특히 치료법은 매우 빠르게 발전하고 있어, 최신 내용 위주로 체크했다. 이때 주의해야 할 점은 인터넷의 경우 상업적 목적에 의해 만들어진 잘못된 정보, 과학적으로 증명되지 않은 것들이 많다는 것이다. 그러니 가급적 공신력이 높은 곳을 찾아 방문해야 한다. 공신력 높은 사이트 중 나는 암에 대해 포괄적 정보를 보유한 국가암정보센터, 대한암학회 등의 사이트를 자주 이용했다.

국가암정보센터

대한암학회

이와 함께 암 관련 서적도 틈틈이 읽었다. 암에 대한 지식을 담은 책, 암을 극복한 사람들의 투병 노하우를 써놓은 책들도 찾아 필요한 부분을 발췌해 읽었다. 그중에서 암 투병기는 동병상련의 동지애도 느끼면서 심리적 지지까지 얻을 수 있었다.

특히 나처럼 직장암 진단을 받고 수술과 항암치료를 이겨낸 이해인 수녀님의 산문집《꽃이 지고 나면 잎이 보이듯이》에 실린 글에서는 감동과 따뜻한 위안을 받았다. 암 투병하면 으레 고통, 우울, 죽음이란 단어를 떠올리는데, 수녀님은 '명랑 투병'으로 유쾌하게 승화시켰다. 수녀님 글의 백미는 이 부분이다.

"병이 주는 쓸쓸함에 맛들이던 어느 날 나는 문득 깨달았지요. 오늘 이 시간은 '내 남은 생애의 첫날'이며 '어제 죽어간 어떤 사람이 그토록 살고 싶어 하던 내일'임을 새롭게 기억하면서 정신이 번쩍 들었습니다. 지상의 여정을 다 마치는 그날까지 이왕이면 행복한 순례자가 되고 싶다고 작정하고 나니 아픈 중에도 금방 삶의 모습이 달라지는 것을 발견했습니다."

뇌에 송곳처럼 파고든 이 단락은 삶에 대한 의지와 희망을 살려주는 불씨와 같았다. 항암치료를 마친 후에도 나태함이 찾아올 때면 이 글을 되새기며 마음을 다잡는다. 내 몸에 찾아온 불청객에 대해 어느 정도 알게 되면 주치의와 함께 치료 계획과 방향, 대안 등 투병 생활의 중심을 잡아나가는 것이 훨씬 수월해진다.

제2법칙
탄식은 짧게, 마음 근육은 단단하게 단련하라

암을 극복하는 힘은 몸과 마음의 조화에서 나온다. 수술과 항암은 몸을 위한 치료인데 마음의 힘이 뒷받침되면 효과는 극대화된다. 특히 암은 어떤 마음을 가지고 대하느냐에 따라 삶의 질이 확 달라진다. 마음 근육을 탄탄하게 해주는 나만의 십계명을 공개한다.

1. '암 선고'를 지우고 '암 진단'으로 쓰기

과거 한때 '암=죽음'이라는 고정관념이 지배했다. 그래서 암을 사형선고에 빗대 '암 선고'를 받았다는 표현을 자주 사용했다. 선고라는 단어는 원래 '선언하여 널리 알림'이라는 의미이나 '암'이라는 단어와 결합되면서 '끝'이나 '최종'이라는 의미로 변질되어 부정적인 느낌이 든다. 반면 의사가 환자의 병 상태를 판단하는 일을 의미하는 '진단'이라는 용어는 이제부터는 치료의 시작이라는 진행형으로 긍정적이다. 그리고 요즘은 진단 후 치료를 잘 받으면 얼마든지 예전처럼 살아갈 수 있다.

나는 '암 진단'과 함께 '암에 걸렸다'는 말도 함께 쓴다. 우리가 감기에 걸린 뒤 툭 털고 일어나는 것처럼 암에 걸려도 이겨낼 수 있기 때문이다.

2. 하루에 한 번씩 감사하는 마음 갖기

아침에 일어나 눈을 뜨고 숨을 쉬고 있으면 절로 감사한 마음이 든다. 하루를 살아가는 에너지를 얻는다. 그래서 선물처럼 주어진 하루에 한 번씩 감사하는 마음을 갖기로 했다.

우선 내 주위에서부터 하나씩 감사한 일을 찾기 시작했다. 그러자 가족을 비롯해 솔병원 식구들이 생각났다. 내가 투병으로 자리를 비운데다, 코로나19 사태까지 겹쳐 많이 힘들었을 텐데 제 몫을 다해줘 고마웠다. 또한 나와 병원 환자들에게 매일 맛있는 식사를 만들어주는 영양사와 식당 여사님들도 정말 감사했다.

고마운 마음을 가지면 나 역시 고마운 대상을 위해 무엇인가 해야 한다는 의지가 솟는다. 그런 의지는 내 건강에 더 신경 쓰게 한다. 건강해야 감사의 마음을 표현하기도 하고, 보답할 수도 있으니 말이다.

3. '절망' 대신 '희망', '부정' 대신 '긍정', '분노' 대신 '용기'

암 진단을 받으면 '왜 하필 나인가. 그저 열심히 살아왔는데 어떻게 나에게 이런 일이……' 등 절망과 부정, 그리고 분노로 가득 찬다. 이런 상황에서 암에 대한 공포와 두려움까지 겹치면 그야말로 백약이 무효하다.

결론부터 말하면 현대의학으로 암을 극복하는 것은 불가능하지 않다. '나을 수 있다'는 희망과 '모든 게 잘될 거야, 잘할 수 있을 거야'라는 긍정의 마음으로 스스로를 다독인 뒤 내 안의 분노를 '암과 싸워 이겨내겠다'는 용기로 바꾸려고 노력했다. 그런 의지가 지금의 나를 있게 한 것이라고 확신한다.

4. 명상과 이완 요법으로 마음 리셋하기

암 환자들은 불안한 마음을 달고 산다. 죽음에 대한 두려움, 들쭉날쭉한 컨디션, 투병 생활의 장기화 등으로 인해 마음이 편하지 않다. '불안'은 투병의 적으로 치료 효과도 떨어뜨린다. 마음의 화를 가라앉히고 평정심을 유지하는 방법 가운데 하나가 명상이며, 이완 요법도 함께 병행하면 도움 된다.

우선 편안한 자세로 눈을 감자. 그리고 숨을 깊게 들이마시고,

동시에 한쪽 팔에 힘을 세게 주었다가 내쉬면서 팔에 힘을 완전히 빼보자. 이 동작을 하면 몸이 이완되고 마음도 안정된다. 머리가 맑아지고, 마음을 리셋시킬 수 있다. 그러면 당연히 몸은 편안해진다. 몸과 마음은 이렇게 하나로 연결되어 있다. 몸과 마음을 편안하게 할 수 있도록 명상과 이완 요법을 틈틈이 하자.

5. 좋은 말만 귀로 보내 마음의 온도 높이기

암 환자에게 귀는 소중하다. 속상하고 쓸데없는 말을 듣게 되면 반대편 귀로 흘려보내고, 따뜻하고 좋은 말만 골라 마음으로 보내야 하기 때문이다.

내 경우 지인이나 진료실을 찾는 환자분들이 "원장님, 얼굴색이 정말 좋으세요", "원장님 항상 응원하고 있어요. 힘내서 완치하세요", "걱정하지 마세요. 잘 될 거예요, 재발하지 않을 거예요" 등의 격려를 마음 깊은 곳에 저장해둔다.

가벼운 인사말이지만 그 순간은 얼마나 힘이 되는지 모른다. 금방이라도 나을 것처럼 몸의 면역력도 쑥 올라간 느낌이 든다. 그러니 부정적인 말들은 과감히 흘려보내고, 나에게 도움이 되는 말만 잘 기억해두도록 하자.

6. '청바지!' 지금 이 순간을 마음껏 즐기기

'청바지'는 '청춘은 바로 지금'의 줄임말이다. 대부분 암에 걸리고,

항암치료를 받게 되면 마치 죄라도 지은 것처럼 위축되기 마련이다. 그래서 외출도 안 하고, 사람 만나는 것도 피하기 일쑤다. 하지만 암 환자라고 해서 위축될 필요는 없다. 암에 걸린 게 누구의 잘못은 아니니까. 무엇보다 암에 걸려 불편하고, 고통스러운 것은 자기 자신이다. 그러니 위축되지 말자. 암에 걸렸어도 그러한 고통을 잘 이겨내고 있는 멋진 '자기 자신'을 사랑하고, 당당하게 지내자.

지나간 시간에 대한 후회, 아직 다가오지 않는 미래에 대해 막연한 불안감을 가질 필요는 더욱 없다. 내가 있는 '지금 이 순간'을 마음껏 즐기는 것이 마음 근육 단련에 오히려 좋다. 사랑하는 가족은 물론 친구들과 소중한 추억을 만들고, 가벼운 여행 등을 통해 삶의 활력을 높여보자. 그리고 사회적 유대를 차츰차츰 넓혀 나가보자. 아마 고립되어 혼자 있는 것보다 면역력이 훨씬 높아질 것이다.

7. 욕심은 비우고 여유는 채우기

암 진단을 받기 이전 나는 병원과 스포츠 재활 관련 업무 등에서 목표 달성은 물론 완벽함을 추구하려고 욕심을 자주 냈다. 그러다 보니 나도 모르게 조바심이 생겼고, 뜻대로 되지 않을 때면 엄청난 스트레스도 받았다.

하지만 건강을 잃고 나니 그런 것은 아무 의미가 없었다. 그래서 암 투병을 하면서 욕심을 줄이고 대신 여유를 채워넣었다. 어떤 일의 결과가 만족스럽지 않아도 "할 수 없지 뭐. 이만큼 한 게 어디야.

다음에 더 잘하면 되지" 하며 마음을 편하게 했다. 그러자 전에는 느끼지 못한 여유가 정말 내 인생 전체에 가득 차기 시작했다. 지금은 아침에 일어나 잠자기 전까지 삶의 충만함을 온몸과 마음으로 느낄 수 있게 되었다. 역시 사람의 몸은 마음과 연결되어 있다. 마음을 편안하게 하는 것만으로도 몸도 편안해진다는 것을 다시 한번 깨닫는 순간이었다.

8. 화나고 힘들 때 '이 또한 지나가리라'로 마음 달래기

암과의 싸움은 장기전이다. 특히 항암치료 기간이 길어질수록 삶의 질도 떨어지고 지칠 수밖에 없다. 몸도 마음대로 움직여주시 않는데다 증세도 호전될 기미가 없으면 화도 치밀어 오른다.

하지만 나를 괴롭히는 고통도 실은 그저 순간에 불과했다. 당시는 참을 수 없이 힘들지만 시간이 지나면 차츰 가라앉았다. 나는 그 시간을 기억하면서 힘들 때마다 '이 또한 지나가리라, 열심히 하면 좋아지리라'는 말을 속으로 되뇌며 마음을 달랬다. 그리고 다시 암과 맹렬히 싸웠다.

9. 포기보다 삶의 의지가 중요하다

"끝날 때까지 끝난 게 아니다."

미국 메이저리그 유명 포수였던 요기 베라Yogi Berra의 명언이다. 암 환자의 삶은 그야말로 롤러코스터다. 컨디션이 좋았다가도 한순간에 확 떨어지는 등 예측이 불가능하다. 특히 끝이 보이지 않는 항암치료의 기나긴 터널 속에서 갑작스러운 재발과 전이가 겹치면 치료에 대한 회의와 함께 '포기'라는 단어가 마음 깊은 곳에서 스멀스멀 올라온다. 하지만 포기는 없다. 포기하지만 않으면 '삶'은 지속되기 때문이다. 반대로 이때가 바로 꼭 살겠다는 의지를 다져야 할 시점이다.

암과 싸우는 방법은 다양하다. 지금 하는 방법이 맞지 않아 증세가 호전되지 않는다고 생각된다면, 즉시 자신에게 맞는 다른 해결책을 찾으면 된다. 지레 겁을 먹고 포기하거나 좌절할 필요가 전혀 없다.

10. 삶의 의미를 만들 새로운 목표 정하기

말기암 진단을 받았지만 나는 3년여의 투병 끝에 '작은 기적'을 만났다. 그 덕에 지금 '덤으로' 사는 인생을 누리고 있다. 그러자 무언가 의미 있는 일을 해야겠다는 사명을 갖게 된 것 같은 생각이 들었다.

평소 동경하던 영등포에 위치한 요셉의원이 떠올랐다. 그곳은 의료진과 자원봉사자들이 대가 없이 의료서비스를 제공하는 자선의료병원으로 쪽방촌 주민들의 건강을 지키는 등불 역할을 해왔다.

요셉의원의 선한 영향력은 나를 사회복지공동모금회 사랑의열매 활동과 지역의 소외된 이웃들을 위한 무료 진료 등으로 이끌었다.

암을 겪으면서 나는 삶의 목표 한 가지를 새롭게 정했다. 요셉의 원처럼 뜻을 같이하는 분들과 함께 가난하고 소외된 이웃들을 위해 나눔 활동을 체계적으로 펼치는 것이다. 새로운 목표를 실행하려 면 우선 내가 건강해야 한다. 그래야 마음껏 봉사할 수 있을 테니까. 이는 내 삶의 의미를 새롭게 정의한 것이기도 하고, 내가 암에 절대 져서는 안 될 진정한 이유이자, 다시 심장을 뛰게 하는 원동력이 되 었다.

제3법칙
군인은 총, 암 환자는
필수 품목이 필요하다

수술이나 항암치료 등은 부작용이 많다. 그래서 사전에 철저하게 마음의 준비를 해야 한다. 무작정 덤벼들었다가는 여지없이 무너지기 일쑤다. 또한 슬기로운 투병 생활을 위해서는 미리 준비할 물품들도 많다. 전쟁에 나서는 군인에게 총이 필요하듯이 암 환자에게도 준비해야 할 필수품이 있다.

암 환자의 '똑똑한 투병'에 도움 되는 준비물들을 정리해보았다. 항암치료가 시작되면 컨디션이 급격히 나빠지니 가급적 치료 받기 전에 미리 준비하자.

마스크

코로나 시국을 떠나 암 환자에게 마스크는 정말 중요하다. 외출 시 감염 위험을 줄이는 한편 구역질을 유발하는 냄새 차단에도 큰 도움이 되기 때문이다.

체온계

항암 기간에는 백혈구의 일종인 호중구 수치가 떨어져 열이 날 수 있다. 특히 항암치료 후 1~2주 사이에는 면역력이 떨어지는 시기여서 체온계를 가까이 두고 수시로 열을 체크해야 한다. 만일 38도 이상의 고열이 지속되면 면역력 저하로 인한 감염일 확률이 높으니 신속하게 응급실로 가야 한다.

악력기 또는 실리콘 공(공은 손에 쥘 수 있는 크기)

암 환자에게 중요한 역할을 하는 혈관 관리를 위한 용도다. 혈관이 잘 보이지 않거나 굳으면 채혈이나 혈관주사할 때 많은 어려움이 따른다. 평소 악력기나 실리콘 공을 이용해 주먹을 쥐었다 폈다 등의 운동을 하면 혈액순환은 물론 혈관도 튼튼해진다. 또한 악력이 좋아지면 전체적인 근력이 증가하는 효과를 볼 수 있다.

모자(여름에는 자외선 차단용, 겨울에는 방한용)

5-플루오로우라실이라는 항암제를 맞고 무방비 상태로 햇빛에 나

가면 피부가 검게 변한다. 그러니 꼭 모자 등으로 자외선을 차단해야 한다. 햇빛 차단을 위해 선크림과 선글라스도 함께 준비하면 좋다. 반대로 겨울철에 머리카락이 빠지면 추위를 느낄 수 있다. 이때는 모자와 함께 머리를 감쌀 수 있는 머플러 같은 물품을 같이 챙기면 도움이 된다.

보습크림과 면장갑

손과 발이 갈라져서 피가 나고 통증이 있는 수족증후군과 말초신경염으로 인한 불편을 덜기 위해서다. 항암치료 후 건조해지는 손과 발의 습도를 유지하기 위해 보습크림은 수시로 발라야 한다. 나 역시 보습크림을 바른 뒤 손에 면장갑을 끼고, 발을 따뜻하게 해줄 보온 양말을 신고 생활했다. 손발이 따뜻하고, 건조해 갈라지지 않는 것만으로도 일상생활이 훨씬 편안해진다.

손가락 골무

앞서 말한 것처럼 말초신경염으로 인해 손톱이 들떠 캔 뚜껑을 따거나, 스마트폰을 터치하거나, 컴퓨터 자판을 사용할 때에도 통증이 느껴질 만큼 손가락 끝이 예민해진다. 이때 손가락 골무를 사용하면 고통이 훨씬 경감된다.

그 밖의 준비물

체온 조절이 잘 안 되는 경우를 대비해 방한용 옷을 항상 준비하는 것이 좋다. 이밖에도 피부 건조를 막기 위한 천연 오일과 보디로션, 입술 건조 시 바르는 립밤, 약해진 구강 점막, 잇몸을 위해 부드러운 칫솔과 자극이 덜한 치약 등도 챙겨두면 도움이 된다. 또 독한 항암제를 희석하기 위해서는 물을 자주 마셔야 하므로 뚜껑이 있고, 빨대가 달린 물통도 유용하다.

제4법칙
하마처럼 먹고,
백조처럼 관리하라

암세포와의 전쟁에는 음식 섭취에도 치밀한 전략이 필요하다. 항암의 고통을 견뎌내고, 수술 후 빠른 체력 회복을 위해서는 잘 먹는 것이 최선이기 때문이다. 그래서 항암치료 때는 하마처럼 식탐을 냈고, 이후에는 철저한 건강 식단을 구성해 백조처럼 우아하게 관리했다.

먼저 항암 전후에는 힘을 내기 위해 고기류를 일부러 찾아 먹었다. 또 생선과 달걀은 거의 매일 빠뜨리지 않고 먹었다. 비록 설사를 많이 했지만 기름지거나 맵고 짠 음식 등도 먹을 수만 있다면 먹었다. 특히 구토하고 난 후에도 조금씩 계속 음식물을 먹었다. 토하더라도 내용물의 20~30%는 몸 안에 흡수돼 암세포와 싸울 수 있는 영양분이 될 수 있어서다. 전혀 먹지 못하거나, 설사가 심한 경우 포도당과 아미노산 등 수액을 맞아 에너지를 보충하기도 했다.

구토 등으로 입맛을 잃어버렸을 때 효과적인 방법은 뷔페 가기였다. 다양한 먹거리 전시장에서 구역질이 덜 나는 음식을 찾기 위한 것인데 어느 정도 효과가 있었다. 어느 날은 LA갈비가 부드럽게 넘어가 한동안 먹었고, 어떤 날은 잔치국수와 나물 비빔밥, 다른 날은 스파게티와 티라미수 케이크 등 구미가 당기는 대로 먹었다. 탄수화물을 못 넉을 때에는 포도와 감 능 과일로 끼니를 때우기도 했다.

하지만 항암치료 이후 일상에서는 식단 관리에 신경을 썼다. 무엇보다 하루 세끼 규칙적이고 균형 잡힌 식단 구성에 초점을 두었다. 사실 암 환자에게 좋다는 음식 정보는 차고 넘친다. 하지만 암은 항암 식품 한두 개를 복용한다고 해서 낫지 않는다. 이 점을 꼭 기억하자. 평상시에 잘 먹는 것이 항암 식품을 섭취하는 것보다 훨씬 효과가 좋다.

나는 채소류와 단백질 위주로 식단을 구성했다. 예를 들면, 식전에 유산균을 먹은 뒤 아침으로는 '잡곡밥-미역국-봄동 나물 무침-김치'를 먹고, 점심은 '백미-황태국-생선구이-호박전-가지나물'로, 저녁은 '잡곡밥-청국장-브로콜리-무나물' 등으로 하루 식단을 채웠다. 일주일에 한 번은 붉은색 고기를 먹었고, 과일과 제철 나물은 매 끼니 거르지 않고 먹었다. 또한 호두와 아몬드 등 견과류와 베리류는 간식용으로 허기를 느낄 때마다 찾아 먹었다.

암 환자가 음식에 신경 써야 하는 이유는 '단백질' 때문이다. 암세포와 싸우기 위해서는 충분한 열량 섭취가 필수인데, 그 중심에 단백질이 자리한다. 단백질은 뼈와 근육을 만드는 중요한 요소다. 단백질이 부족하면 근육 부족으로 이어지고, 결국 체력 회복이 힘들어 위험하다.

단백질은 20여 개의 아미노산으로 이뤄지는데 이 중 절반은 필수아미노산essential amino acid이다. 필수아미노산은 몸에서 합성되지 않거나, 합성되더라도 양이 적어 생리 기능을 하는데 충분하지 않아 반드시 외부에서 음식을 통해 섭취해야 한다. 특히 육류에 많이 함유되어 있다. 소고기, 돼지고기, 닭고기와 생선 등이 영양학적으로 완전 단백질에 속하고, 콩과 두부가 부분 단백질로 분류된다. 무엇보다 채식 식단만으로는 영양소가 부족할 수 있다. 그러니 단백질이 가미된 식단을 자신의 건강 상태에 맞게 짜는 것을 추천한다. 내게 도움이 됐던 음식은 다음과 같다.

'감자전, 호박, 크래커, 꿀물, 이온 음료, 채소, 죽, 감자, 고구마, 닭고기, 버섯, 생선, 여러 가지 나물(콩나물, 시금치 등), 계란찜, 오징어 요리, 연두부, 갈비탕, 국수, 샤브샤브, 장조림, 백김치, 동치미, 대구

탕, 동태탕, 오징어뭇국, 생선조림 및 구이(특히 갈치)' 등이다.

이와 함께 몸에 안 좋은 음식은 철저히 가리는 지혜도 동반되어야 한다. 동물성 기름이 많은 음식, 맵고 짜고 자극성 강한 음식, 탄 음식, 트랜스지방이 많은 음식 등을 철저히 피하고, 과식과 폭식도 멀리했다.

암 환자들에게 음식 섭취와 관련해 빠지지 않고 받는 질문이 하나 있다. 바로 기호식품인 커피를 마셔도 되는지다. 나는 1차 수술에 이어 항암치료를 마친 뒤 의료진과 상의해서 커피를 마셨다. 오랜만에 커피를 마시니 '정상인의 삶을 살고 있다'는 심리적 안정감이 들어 정말 좋았다.

만약 커피를 마시고 싶다면 이 역시 담당 의사와 상의하도록 하자. 어떤 암에 걸렸는지에 따라, 환자의 상태에 따라 카페인 섭취 여부가 달라질 수 있으니 말이다.

제5법칙
혼자 말고,
함께 싸워라

'빨리 가려면 혼자 가고, 멀리 가려면 함께 가라'는 아프리카 속담이 있다. 맹수들의 위협이 사방에 도사리고 있는 아프리카에서 먼 곳으로 이동할 때 길동무 없이는 불가능하다는 의미를 담고 있다. 혼자보다는 동반자가 있으면 힘든 고비와 어려움도 쉽게 극복할 수 있다는 '동행'의 의미를 제대로 알려준다.

암 치유로 가는 여정도 머나먼 여행길과 같다. 암은 결코 혼자서 치료할 수 있는 질병이 아니다. 혼자가 아닌 '함께' 싸워야만 극복할 수 있다. 특히 함께하는 사람이 많을수록 암을 극복하는 힘은 커지게 된다. 암 환자의 가장 든든한 버팀목은 역시 가족이다. 나 역시 가족의 도움이 없었다면 여기까지 오지 못했을 것이다.

구성원 중 누군가가 암 진단을 받았다는 것은 가족 전체의 질병이 되었다는 의미이기도 하다. 가족은 환자에 대한 정성스러운 간호 외에도 환자 자신도 모르게 올라오는 변덕스러운 감정들을 묵묵히 받아주기도 한다. 하지만 가까워서 오히려 실수할 수 있고, 관계를 나쁘게 할 수도 있다.

나 역시 컨디션에 따라 감정의 기복이 심한 날들이 더러 있었다. 내 자신은 아프고 괴로운데 옆에 있는 가족이 알아주지 않으면 섭섭했고, 괜히 짜증을 낸 적도 있었다. 편안한 대상이었기에 '이 정도는 받아주겠지' 하는 생각을 했던 것 같다. 밤낮으로 나를 돌보느라 가족들도 고생이 많은데, 마음에 상처를 준 것 같아 미안했다. 이를 계기로 나는 가족과 서로 감정을 나누기 위해 대화하는 시간을 많이 가졌고, 서로 더 잘 들어주려고 노력했다.

그 일환으로 주말에는 자연 친화적인 길을 찾아 여행을 떠났다. 가족들과 함께하는 여행은 그 자체만으로도 행복하고, 편안함을 주었다. 오색약수를 거쳐 들어가는 점봉산 주전골, 가평 잣향기푸른 숲길, 설악산 백담사 가는 길을 비롯해 여수와 거제도 등지에서 좋은 추억들을 쌓았다.

어느 날 투병 생활의 분위기를 바꾸기 위해 암 환자들만 생활하는 요양 시설에 며칠 묵으러 간 적이 있다. 하지만 환자들의 밝지 않은 얼굴 표정과 고립된 느낌, 다소 위압적이고 우울한 분위기에 압도돼 뒤도 안 돌아보고 짐을 싸서 나와버렸다. 획일화된 단체 생활에 갇혀 지내는 분위기, 독립적인 생활은커녕 다른 사람에게 조종당하는 기분까지 겹쳐 그곳에 있으면 왠지 더 아플 것 같은 느낌이 밀려왔기 때문이다.

잠깐이었지만 떠났다가 다시 가족과 직장이 있는 사회로 돌아오니 살 것 같았다. 가족 외에도 "충분히 암을 이겨낼 수 있어요. 조금만 힘내세요"라고 격려와 응원을 보내주는 고마운 지인들과 단골 환자분들, 내가 먹지 못하고 힘들어할 때 수액주사를 놔주며 살뜰히 챙겨준 병원 식구들도 함께 싸워준 가족이었다. 그중에도 지인이 보내온 문자 한 통은 지금도 기억이 날 정도로 인상 깊었다.

"순자, 맹자, 노자, 장자보다 더 훌륭한 사람은 '웃자'라고 합니다. 웃자보다 더 훌륭한 사람은 '함께하자'라고 합니다."

제6법칙
무조건 집 밖으로
나가라

'집에 누워 있으면 죽고, 밖으로 나와 걸어 다니면 산다.'

암 환자들은 초라해진 모습을 보여주기 싫어 스스로를 집에 가둔다. 왜 집에만 있냐고 물으면 대부분 힘이 들어 쉬는 것이라고 항변하는데, 이는 쉬는 것이 아니라 혼자만의 섬에 고립된 것이다. 집에 혼자 있으면 고통과 부정적인 생각만 떠올라 우울해진다. 하지만 집 밖으로 나와 걷고 세상과 소통하면 자신을 짓눌렀던 공포와 우울감에서 빠져나올 수 있다.

작년 봄, KBS 〈아침마당〉 팀에서 나에게 "몸을 살리는 100세 근육을 주제로 특강해주실 수 있나요?"라며 출연 요청을 했다. 보통 때라면 바로 오케이했을 텐데, 당시 항암치료가 진행 중이라 망설여졌다.

'생방송이라 실수하면 큰일인데. 1시간 동안 서서 강의해야 하는데, 혹시 균형을 잡지 못해 넘어지면 어떻게 하지?'

이런 두려움이 앞섰기 때문이다. 하지만 암 환자라는 굴레를 스스로 벗어던질 수 있는 기회로 생각하고 노전하기로 했다. 생방송 직전 나는 심호흡을 크게 한 뒤 복부와 하체에 힘을 단단히 주었다. 항암 부작용으로 발톱에 심한 염증과 통증이 있었지만 그런 내색을 하지 않으려고 무대를 향해 씩씩하게 걸어 나갔다. 그리고 방송하는 동안 내 몸은 잘 버텨주었다. 방송 막바지에 진행자가 질문했다.

"박사님 암 투병 중이신데, 출연 소감은 어떠세요?"
"살아있다는 느낌입니다."

나는 질문에 주저 없이 대답했다. 그 순간 내 가슴 한구석에서 뿌듯함이 올라왔다. 내가 만든 작지만 견고한 틀을 깨고 다시 세상 속에서 사람들과 호흡하고 소통하며 살아갈 수 있다는 자신감을 회복했다는 기쁨 때문이었다.

암 환자에게 항암 부작용만큼 힘든 것을 꼽으라면 단연 '사회적 단절'이다. 암 환자가 사회적 끈을 잇는 방법은 직장을 다니지 않는다면 취미나 봉사활동 등 일부러 일을 만들어서라도 하는 것이 좋다. 나는 병원으로 꾸준히 출근했다. 수술과 회복 기간, 항암치료 기간을 제외하고는 병원에서 환자들을 만났다. 그것은 단 한 명의 환자를 보더라도 사회적 연결고리를 이어가고 싶은 내 간절한 의지를 표출하는 것이었다.

초기에는 물론 고난의 연속이었다. 계속된 항암치료로 인해 말투는 다소 어눌했고, 목소리가 잘 나오지 않아 환자에게 충분한 설명을 하지 못할 때도 있었다. 그럴 때마다 얼마나 미안하고, 당황스러웠는지 나 자신에게 화가 나기도 했다. 하지만 나를 이해해주는 마음 좋은 환자들 덕분에 진료는 멈춤 없이 계속되었고, 어느 정도 지나자 목소리도 정상으로 돌아왔다. 이때 또 한 번 나는 살아있음을 강하게 느꼈다.

나는 직장으로 복귀하는 암 환자들을 보면 가슴이 아프다. '예전처럼 자신의 업무를 잘할 수 있을까?' 하는 걱정으로 자신감이 떨어져 출근하는 것을 두려워하거나, '자칫 무리해서 건강이 또 나빠지는 것은 아닐까?' 하는 불안감에 극심한 스트레스를 받기 때문이다. 그러다 결국 병가를 내고, 휴직하고, 결국 사직으로 이어지는 코스를 차례로 밟는 경우를 자주 보았다. 그런 과정을 볼 때마다 참으로 안타까웠다. 일은 개인의 삶에 굉장한 의지를 불러일으키는 동기 중 하나다. 그러니 섣불리 암에 걸렸다고 직장을 그만두는 우를 범하지 않았으면 좋겠다.

또 '암에 걸린 사람도 얼마든지 직장 생활을 할 수 있다'고 사회적 인식도 바뀌어야 한다. 현재 우리나라 국민 중 기대 수명(83세)까지 생존할 경우 암에 걸릴 확률은 무려 37.9%(보건복지부, 2021. 12. 29.)다. 남자는 5명 중 2명, 여자는 3명 중 1명이 암에 걸릴 것으로 추정하고 있다. 이제 암은 누구나 걸릴 수 있는 독감 같은 것이다. 그러니 너무 위축되지 말고, 자신의 일을 꾸준히 할 수 있도록 하자.

사실 암과의 사투를 이겨낸 사람들이야말로 대단한 의지를 지녔다고 할 수 있다. 오히려 일반인보다 수술이나 항암치료 등 모진 시간을 견뎌낸 인내와 끈기는 분명 조직 발전에 보탬이 될 것이다. 그러니 직장에서 암 환자에 대한 배려와 관심은 세심하게 기울이되, 환자로 대하지 않도록 해 암 환자들이 일상으로 복귀할 수 있도록 도와야 한다.

제7법칙
짬짬이 5분이라도
계속 운동하라

암이라는 어둠과 혼돈에서 나를 구한 것은 재활운동이었다. 운동은 혈액순환을 촉진하고, 심장과 폐 및 근육 기능을 향상시킨다. 이를 통해 체력과 면역력은 올라간다. 특히 항암치료의 부작용 가운데 하나인 '암 피로' 현상을 감소시키는 데 효과가 좋다.

또한 컨디션 조절과 함께 우울감을 해소시키는 심리적 현상에도 도움을 준다. 바야흐로 운동이 질병을 치료할 수 있는 치료 개념으로 자리를 잡아가고 있다. 즉 운동으로 암을 치료하고 예방할 수 있다는 얘기다.

연세대 미래융합연구원 암당뇨 운동의학센터 전용관 교수의 '한국인을 대상으로 한 운동과 암 사망 관련 연구'에 따르면 주당 운동 시간이 많아질수록 대장암 사망 위험이 남자는 45%, 여자는 40% 감소하는 것으로 나타났다.

운동이 주는 효과를 누구보다 잘 알기에 나의 하루는 운동으로 시작해서 운동으로 끝난다. 일과 중간에도 5~10분씩 틈을 내서 근력 운동과 유산소운동을 해 컨디션을 관리하고 있다.

어떤 분이 나에게 "운동이 지겹거나 귀찮지 않아요?"라고 물은 적이 있다. 난 그 질문에 솔직하게 대답했다.

"저도 인간이니 그런 감정이 들 때가 있습니다. 하지만 항암치료의 끔찍한 고통을 생각하면 금세 마음을 다잡게 됩니다."
"재발하지 않기 위해, 살기 위해 운동을 하게 됩니다. 운동을 안 하면 불안할 정도로……."

솔직히 항암에 대한 두려움이 운동의 귀찮음, 아니 모든 것을 극복하게 만든다. 운동을 귀찮게 여기면 암세포에게 지는 것이다.

체력이 좋아지니 마음도 좋아지고, 에너지가 생기면서 나를 운동에 더욱 매달리게 했다. 그렇게 5분이 모여 1시간이 되고, 1시간이 모여 하루가 되고, 하루가 모여 1년이 되고, 1년이 모여 건강한 삶이 된다.

운동의 효과가 차곡차곡 쌓이면 몸 상태가 몰라보게 좋아진다. 예를 들어, 산에 오를 때 10분마다 쉬어야 했던 체력이 30분 이상을 거뜬히 올라갈 정도가 되었고, 팔굽혀 펴기를 하면 어김없이 따라오던 어깨의 뻐근함도 말끔히 사라졌다. 이를 통해 나는 '근육이 있으면 암도 이겨낼 수 있다'는 자신감을 갖게 되었다. 그런 경험이 이 책을 쓰게 한 원동력이기도 하다.

'짬짬이'라도 근육을 키우면 암도 이길 수 있다.

그러니 수술 전·후, 항암치료 후 끊임없이 내 몸을 괴롭혀 지치게 만드는 암세포에 굴복하지 말고, 꾸준히 몇 초라도 몸을 움직여 보자. 그러다 보면 결국 건강한 삶을 되찾을 수 있을 것이다. 물론 암 환자의 운동은 앞서 말한 것처럼 무리하면 안 된다. 할 수 있는 것에서 한두 개 정도 더 하는 정도로 마무리하자. 그렇게 쌓은 운동 적금은 분명 암을 극복하는 데 든든한 밑천이 되어줄 것이다.

막연한 두려움을
자신만의 루틴으로
현명하게 대처하기

암 환자는 늘 심리적으로 불안하다. 특히 암 치료를 마친 후에는 더욱 그렇디. 이제부터 혼자서 암을 관리해야 한나는 생각 때문이다. 이 같은 부담감에는 재발과 전이, 그리고 2차 암에 대한 막연한 두려움이 자리하고 있다.

재발에 대한 걱정과 불안은 당연한 감정이고, 정상적인 반응이다. 쉽지 않겠지만 중요한 것은 마음의 수위 조절이다. 신체 변화를 감지하는 적절한 긴장감에 머물도록 생각은 하되, 일상생활을 어렵게 하는 두려움과 걱정으로 키워서는 안 된다. 걱정은 또 다른 면역력을 떨어뜨려 치료에 해가 되기 때문이다. 가령 머리가 아플 때 병원을 찾기에 앞서 '혹시 암세포가 뇌로 전이된 것은 아닐까' 하며 스스로 불안과 우울감의 틀에 가두는 것은 바람직하지 않다.

두려움을 덜어내는 좋은 방법은 일상에서 자신만의 루틴을 확보하는 것이다. 마음이 심란할 때 가장 즐겁고 행복했던 기억을 떠올리거나, 가족이나 지인들과 대화를 나누거나, 맛집을 탐방하거나, 취미 활동을 하거나, 걷기나 근력 운동 등 불안을 내보내는 비상구를 설치하는 것이다. 여기에 정기적인 의학적 진단 검사를 통해 몸의 변화를 체크하는 추후 관리 계획을 수립하는 것도 좋다.

무엇보다 부정적이고 경직된 생각은 치료의 적이다. 희망과 긍정의 태도로 현재의 삶에 최선을 다하고, 나머지는 하늘에 맡긴다는 마음가짐을 갖도록 노력하는 것이 바람직하다. 설령 암이 재발되었다 하더라도 좌절하거나 절망할 필요는 없다. 재발 판정 당시에는 두렵고 고통스럽겠지만 좋은 치료법들이 있기에 얼마든지 극복할 수 있다. 새로운 항암치료법들이 계속 개발되기 때문에 열심히 살아나가면 혜택을 누릴 확률이 높다.

실제로 많은 환자들이 암 재발 이후 적극적인 치료를 통해 좋은 결과를 얻고 자신들의 삶을 살아가고 있다. 나 역시 마찬가지다. 세 번이나 재발했었지만 수술과 항암치료, 그리고 올바른 식습관과 꾸준한 운동 등 나만의 루틴으로 마음의 적을 이겨냈다.

Part
4

상황별 짬짬이
5분 운동법

수술하기 전에도 급격히 컨디션이 안 좋아지고, 수술 후에는 근육이 잘려 컨디션은 더 나빠진다. 이어 항암치료가 더해지면 부작용까지 덮쳐 몸은 만신창이가 되고 만다. 이때 잘 먹는 것만큼 중요한 것은 손가락이라도 움직여 근육을 키우는 것이다. 끈질긴 암세포와의 싸움에서 이기기 위해 꼭 필요한 나만의 무기이기도 하다. 그동안 재활의학과 전문의, 스포츠의학 전문의로서, 직접 투병 생활을 한 경험자로서 선수들 또는 환자들에게 처방해준 것처럼 암 환자들에게 맞는 운동들을 정리했다.

암 환자들의 소리 없는 암살자, 근감소증을 경계하라

암 환자의 투병 생활에 은밀히 찾아오는 무서운 적이 하나 있다. 부족한 활동량 탓에 근육이 병적으로 줄어드는 '근감소증'이다. 2017년 세계보건기구는 근육을 뜻하는 '사코sarco', 부족을 뜻하는 '페니아 penia'가 합쳐진 사코페니아(근감소증)를 정식 질병으로 등록했다. 우리나라도 2021년에 정식 질병으로 등록됐다. 근감소증 수치는 체성분 분석을 통해 팔과 다리의 근육량을 측정해 모두 더한 무게(kg)를 키(m)의 제곱으로 나눈 값이다. 남자의 경우 7.0, 여자의 경우 5.4 이하면 근감소증으로 판단한다.

근육은 우리 인체에서 중요한 의미를 지닌다. 근육의 기능은 힘을 만들어내고, 관절을 보호하고, 혈액순환을 촉진시키고, 몸을 바로 잡아주고, 에너지를 저장하면서 많은 질병을 예방한다.

또한 근육은 사용하면 할수록 커지고 강해지는 성질이 있다. 근육과 함께 자주 등장하는 단어는 근력이다. 근력은 근육의 힘, 또는 그 힘의 지속성이다. 근육과 근력은 서로 뗄 수 없는 동반자 관계다. 다들 알다시피 근육을 키우는 가장 좋은 방법은 운동이다. 근력 운동은 근육을 튼튼하게 하고, 근골격계를 강하게 만든다.

반대로 근육이 줄어들면 근력도 급격히 떨어진다. 근육은 노화의 길을 걷지만, 근력은 늙지 않는 것이 차이점이다. 즉, 근육이 늙는 것은 누구도 피할 수 없지만 근력을 유지하면 노화를 대비할 수 있는 것이다.

보통 40세 이후부터 근육량이 매년 1%씩 줄어들고, 근육의 질도 나빠진다. 사람의 활동량이 줄어들고, 근육을 만드는 호르몬 분비가 감소하기 때문이다. 이런 상황에서 암에 걸리면 영양부족에다 활동량 부족으로 근육 감소가 빠르게 진행된다.

문제는 근감소증이 심한 피로감, 체중 감소에다 감염, 대사장애, 골수 억제 등 합병증과 부작용을 높여 암 환자의 생존율을 낮추는 원인으로 작용한다는 것이다. 그야말로 암 환자에게 '소리 없는 암살자'다.

나 역시 한동안 근감소증으로 고생했다. 먼저 수술 받은 후 잘 움직이지 못해 하루 종일 누워 지냈다. 항암치료 때에는 잘 먹지 못하고, 힘도 빠지고, 운동량도 크게 줄어들었다. 결국 수술과 항암치료를 반복하면서 근감소증이 생겼다. 60kg을 오가던 체중이 51kg까지 내려갔다. 몸에 기운이 쭉 빠지고 팔을 들어 올리거나 걷는 것도 너무 힘들어 외출은 꿈도 꾸지 못했다. 그저 가만히 눈만 뜬 채 숨만 쉬고 있는 상태였다.

몸의 근육이 빠져나가니 마음 근육도 함께 빠져 정말 온몸이 무너져 내리는 것만 같았다. 그렇게 한동안 무력감 속에 지내다가 갑자기 퍼뜩 정신이 들었다.

'아! 이러면 안 되겠다. 명색이 의사인데……'

나는 그동안 진료실에서 환자들에게 귀가 따갑도록 "운동을 꼭 하셔야 합니다" 하고 잔소리를 많이 했다. 특히 근감소증으로 고생하는 중장년층과 관절염으로 힘들어하는 분들에게는 어김없이 하는 단골 레퍼토리였다. 환자들에게 무릎과 발목 운동 요령 등을 알려준 뒤 집에서 꾸준히 하라며 숙제를 내줬고, 다음 진료 때 체크하곤 했다. 하지만 암에 걸린 후 나는 정작 아무것도 시도하지 않고 있었다. 나도 그냥 아픈 것뿐인데 그들과 똑같이 운동이 필요한 환자인데 말이다. 갑자기 나 자신이 한없이 초라하게 느껴졌다.

나를 더 이상 방치할 수는 없었다. 그리고 즉시 병원 침대를 박

차고 일어났다. 우선 가슴 펴고 심호흡하기, 서서 체중 이동하기 등으로 몸을 서서히 움직였다. 수술 받은 다음 날에도 병실 복도를 걸어 다니면서 운동에 대한 의지의 끈을 놓지 않았다.

그렇게 조금씩 잠자던 근육을 운동으로 깨워놓으니 체력이 서서히 좋아졌고, 항암치료를 버텨내는 힘도 생겼다. 말기암 환자인 나를 '침묵의 암살자'로부터 구한 핵심 키워드는 역시 '운동'이었다.

암 환자의 재활운동에는 지켜야 할 순서가 있다

암 환자는 누워 지내는 생활에 익숙하다. 암이 주는 피로감과 무기력감이 표면적 이유다. 하지만 진짜 이유는 항암 등으로 인해 서 있기가 힘들고, 균형 잡는 것도 어렵기 때문이다. 운동을 안 하는 것이 아니라 못하는 상태인 것이다. 나 역시 그랬다. 그래서 암 환자의 운동은 몸을 서 있게 하고, 버티는 힘을 키우는 데 초점을 맞춰야 한다. 그것도 서서히 자신의 컨디션에 맞춰서 진행해야 하며, 그래서 순서가 중요하다. 모든 운동의 출발은 체조와 스트레칭을 통해 몸을 부드럽게 해주는 유연성을 확보하는 것이다.

첫 번째로 공을 들여 운동할 곳은 몸의 중심축인 코어 근육이다. 뿌리 깊은 나무가 바람에 흔들리지 않는 것처럼 몸의 중심을 잡아주는 근육이 튼튼해야 다른 근육도 키울 수 있기 때문이다. 코어 근육은 배를 둘러싸고 있는 복횡근, 척추 뒤쪽에서 마디마디를 이어주는 다열근, 골반을 안정시키는 골반 하부 근육, 폐의 기능과 복압을 유지하는 횡격막 등 4가지로 구성되어 있다. 뼈와 관절을 지탱하는 몸속 작은 근육들을 단련하면 몸이 흔들리지 않고, 중심이 잡힌 몸통에서 큰 힘을 낼 수 있다. 아울러 근감소증, 말초신경 이상으로 몸의 밸런스도 깨졌기에 한 발로 서서 버티기 등 균형 잡기 운동도 병행해야 한다.

두 번째, 코어 다음으로는 엉덩이 근육이다. 걷는 데 가장 중요한 근육으로 척추의 힘은 골반을 거쳐 고관절, 다리로 전달되는 유기적 시스템으로 움직인다. 걷거나 뛸 수 있는 것은 고관절의 움직임이 전후좌우로 일어나고, 엉덩이 근육을 사용하기 때문이다. 그래서 엉덩이 근육을 강화시키면 움직임이 훨씬 가볍고 편해진다.

세 번째는 상체를 받치고 하체에 힘을 전달하는 허벅지 근육이다. 허벅지는 운동하는 데 있어 주춧돌과 같다. 허벅지 앞쪽 근육은 대퇴사두근, 뒤쪽 근육은 햄스트링근으로 불리는데 몸의 30%를 차지할 정도로 큰 근육이다. 특히 허벅지는 몸의 에너지 저장고이자 신체를 지탱하는 역할을 한다. 허리를 보호하고, 골반을 지지하기 때문에 허벅지가 튼튼해야 몸이 서고, 걷는 데 불편함이 없다.

네 번째는 종아리 근육이다. 종아리는 지방이 적고 근육도 풍부해 '근육의 보물창고'로 불린다. 종아리 근육은 발을 움직이게 하고, 보호하는 역할을 한다. 우리 몸의 체중을 모두 지탱하는 근육으로 몸의 혈액순환에도 기여한다.

이어 팔을 움직이는 축인 어깨 근육, 그리고 어깨를 움직이는 축인 날개뼈 근육을 키워나가는 것이 좋다. 암 환자 근육 운동의 1차 목표는 넘어지지 않고 똑바로 선 뒤 걷기를 위한 것이다. 암 환자에게 걸을 수 있다는 것은 건강한 삶으로의 복귀에 희망을 주는 신호탄이다. 코어-엉덩이-허벅지-종아리-어깨 및 날개뼈 근육 순서에 따라 자신의 상태에 맞는 운동 강도로 꾸준히 하다보면 몸에 찾아오는 변화를 느낄 수 있을 것이다.

수술 전에
할 수 있는 운동

수술 전 운동은 체력을 키우는 데 중점을 둬야 한다. 수술에 이어 항암치료를 해야 하기 때문에 버틸 수 있는 체력 확보가 급선무다. 특히 수술 시 마취를 하게 되므로 호흡 기능이 떨어질 수 있다. 폐 활량을 늘이기 위한 호흡 근육 운동 습관을 들이면 도움이 된다.

또한 수술을 받고 나면 통증과 함께 근육의 밸런스가 무너져 자세가 나빠지게 된다. 척추를 바로 세우는 척추 기립근 운동이 필요한 이유다. 특히 수술 후 잘 걷기 위해서는 코어 근육을 강화해야 한다.

허리 펴고 가슴 열어 심호흡하기

개복 수술 후에는 통증 탓에 저절로 몸이 앞으로 숙여지고 구부정해진다. 그래서 수시로 심호흡을 하며 가슴을 펴는 습관을 수술 전부터 들여야 한다. 침대에 누워서 하거나 의자에 앉아서 할 수 있는데 되도록 5회를 넘기지 않는 것이 바람직하다. 5회 이상 할 경우 어지럼증이 발생할 수 있으므로 주의가 필요하다.

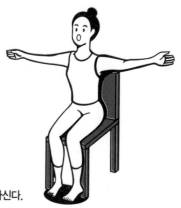

❶. 의자에 앉아 허리를 꼿꼿이 세운다.
❷. 두 팔을 벌려 가슴을 열면서 숨을 크게 들이마신다.

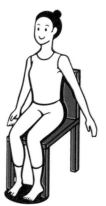

❸. 마신 숨을 두 번에 나누어 천천히 내뱉는다.

만세하고 엉덩이 들기

우리 몸에서 가장 중요한 코어 근육을 유지하기 위한 운동으로 복부와 엉덩이 근육을 강화시켜준다. 손을 위로 드는 동작을 통해 엉덩이 근육에 좀더 강한 자극을 줄 수 있고, 균형력을 높일 수 있다.

❶. 등을 바닥에 대고 누워 무릎을 세운 후 양발을 주먹 하나만큼 벌린다. 양팔은 수직으로 뻗는다.

❷. 복부와 엉덩이 힘으로 엉덩이를 들어 올려 어깨부터 무릎까지 일직선으로 만든다. 6초간 자세를 유지한 후 천천히 엉덩이를 내린다.

다리 벌리고 앉았다 일어나기

수술 후 극심한 통증은 물론 근육의 밸런스가 깨지기 쉽다. 그렇게 시간이 지나면 무기력해지고, 누워만 있게 된다. 그런 상황을 방지하기 위해 필요한 운동법이 바로 '다리 벌리고 앉았다 일어나기'다. 이 운동법을 할 때 주의할 점은 다리를 구부리는 지점을 자기 컨디션에 맞춰서 해야 한다는 것이다.

❶. 양발을 어깨너비 정도로 벌리고 서서 발끝을 45도 정도로 벌린다. 양손은 골반 위에 올린다.

❷. 허리를 편 채 무릎을 45도 정도 굽히며 앉았다가, 최저점에서 5초간 유지한 후 일어난다.

종아리 늘이기

종아리 근육은 우리 몸의 체중을 지탱해주는 것 외에도 '제2의 심장 근육'으로 불릴 만큼 혈액순환에 큰 기여를 한다. 이 근육이 수축할 때 최대 혈액순환이 50배까지 증가한다.

　종아리는 3개의 근육으로 구성되어 있다. 바깥쪽 좌우로 2개, 안쪽으로 1개가 있다. 종아리 근육은 아킬레스건이 되어 발뒤꿈치 뼈에 가서 붙는다. 그래서 종아리 근육과 아킬레스건은 바늘과 실이다. 이 근육을 많이 사용해 피로가 오면 근육이 뭉치고 뻣뻣해지기에 가벼운 마사지와 함께 스트레칭이 필요하다.

❶. 발을 앞뒤 어깨너비 2배 정도 벌린 후 뒷발의 발꿈치는 바닥에 붙이고, 앞쪽 다리의 무릎을 60도 구부려 스트레칭한다. 이때 반대쪽 다리는 곧게 편다.

❷. 30초 동안 유지하고, 반대쪽도 같은 방법으로 실시한다.

플랭크

플랭크는 엎드린 상태에서 팔로 체중을 지탱하는 자세로 복부와 허리, 엉덩이 근육 등을 강화해 안정적인 중심축을 만들어준다. 머리부터 등, 발꿈치까지 일직선을 유지하면서 버티는 것이 중요하다.

엉덩이가 너무 위로 솟거나 허리가 밑으로 처지지 않도록 몸통에 힘을 준다. 힘들면 바닥에 엎드리는 것보다 의자에 기대 하는 것도 좋다.

❶. 바닥에 엎드려 팔꿈치를 직각으로 세운 후 어깨너비로 벌린다.
   이때 발끝은 세운다.
❷. 머리부터 발끝까지 몸을 일자로 만들어 6~10초간 유지한 후 힘
   을 뺀다.

　　좋은 운동이란 상황에 맞게 손쉽게 자주 할 수 있어야 한다. 특
히 암 환자들에게는 시간과 장소 등 환경에 맞게 운동하는 습관을
들이는 것이 무엇보다 중요하다. 누워서 할 수 있는 운동, 앉아서 할
수 있는 운동, 그리고 걸을 수 있을 때 하는 운동 등 상황에 맞는 운
동법을 소개하는 것 역시 그런 이유다.

　　아마 암 환자들이 운동한다는 게 정말 쉽지 않을 것이다. 하지만
앞서 계속 강조했지만 암 환자들이야말로 꾸준히 운동해야 한다.
그리고 이 운동들은 작은 결심으로도 얼마든지 할 수 있다. 이 책에
소개하는 동작들을 꾸준히 해보자. 분명 수술 전과 후, 항암치료의
부작용으로 힘들 때마다 큰 힘이 되어줄 것이다.

침대에 누워서
할 수 있는 운동

수술 받은 암 환자는 몸도 뻣뻣해지고 균형도 무너져 다양한 통증에 시달릴 수밖에 없다. 극심한 통증 때문에 잠도 제대로 자지 못하면서 아무것도 하고 싶지 않아진다. 여기에 통증을 줄이기 위해 약물이 투입되면 몸이 나른하고, 피곤함이 계속되면서 무기력해지는 것도 사실이다. 이에 따라 병원 침대에 누워 지내는 것에 몸이 길들여지는 것이다.

하지만 가만히 누워만 있으면 곤란하다. 그만큼 몸의 면역기능 회복도 지연돼 삶의 활력을 잃어버리기 때문이다. 우리의 몸은 자꾸 사용해야 제대로 기능한다. 침대에 누워있더라도 가벼운 움직임 부터 시작해 잠자고 있던 몸 안의 운동 세포를 깨워야 한다. 움직인 다는 것은 살아있다는 증거다.

휴대전화 들어 올리기

수술 후 침대에 누워 있을 때 하면 좋은 운동이다. 이때 휴대전화가 생각보다 무거워 자칫 얼굴에 떨어뜨리면 또 다른 상처를 입을 수 있다. 그러니 처음에는 주변에서 가볍게 쥘 수 있는 것으로 시작하 자. 마른 수건이나, 반팔 티셔츠를 돌돌 말아 쥐어 들어 올리는 것도 운동이 된다. 그러니 처음부터 무리하지 말고 간단하고, 손쉬운 것 부터 하자.

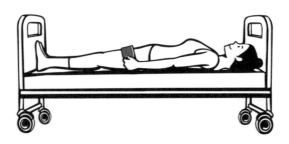

❶. 가장 손쉽게 할 수 있는 동작이다. 휴대전화를 한 손에 들고 90도 높 이로 들어 올렸다가 내리기를 반복한다.

❷. 왼손으로 10회, 오른손으로 10회 실시하고, 익숙해지면 휴대전화 대신 개봉하지 않은 500㎖ 물병을 활용한다.

누워서 골반 기울이기

앞서 말한 것처럼 수술 후 암 환자들이 가장 어려워하는 것 중 하나가 걷기다. 생각보다 두 발로 서서 걷기는 어려운 일이다. 걸으려면 넘어지지 않도록 몸의 중심이 바로 서야 하고, 균형력도 필요하다. 2족 보행하는 로봇을 개발하기까지 오랜 시간이 걸린 것도 바로 이 2가지를 모두 만족시켜야 서서 걸을 수 있기 때문이었다.

'누워서 골반 기울이기' 운동의 경우 골반과 요추의 유연성 향상은 물론 코어 근육을 강화시켜 침대에서 내려와 걸을 수 있도록 도와주는 효과적인 운동이다.

❶. 무릎을 세워 허리에 아치형 공간이 생기도록 편하게 눕는다.

❷. 척추와 골반의 힘을 이용해 허리가 바닥에 닿도록 내린다.

크런치 운동

이 운동 역시 수술 후 회복 단계에서 걷기 위한 준비라고 할 수 있다. 크런치 운동은 원래 뱃살을 빼기 위한 운동이다. 하지만 강도를 낮추면 암 환자들이 코어 근육을 기르는 데 효과가 있다. 그러니 크런치 운동을 할 때도 너무 무리하지 말자. 처음에는 두 다리만 들어 올리고, 그 다음 익숙해지면 다리와 머리를 포함한 상체를 들어 올리도록 한다.

❶. 누워서 양손을 가슴 위에 교차하고 다리는 90도 굴곡하여 준비한다.

❷. 복부만 수축하여 굴곡한 상태에서 1초 정지 후 천천히 시작 위치로 돌아간다.

브릿지 익스텐션(한 다리 동작)

브릿지 익스텐션 운동은 코어 근육과 엉덩이 근육을 강화해 허리의 힘을 키우는 동작이다. 누워서 무릎을 곧게 펴고 다리를 들어올렸다가 내리는 것부터 시작한 뒤 엉덩이를 수축해 골반을 정점까지 올렸다 내리는 한 다리 동작과 두 다리 동작을 차례대로 해주면 좋다.

❶. 바닥에 누워서 한쪽 다리를 들고 손을 바닥에 위치하여 준비한다.

❷. 엉덩이를 수축한 상태로 골반을 정점까지 올린 후 천천히 시작 위치로 돌아간다.

브릿지 익스텐션(두 다리 동작)

브릿지 익스텐션 두 다리 동작은 척추의 유연성을 확보하고 코어 근육을 키우는 대표적인 운동이다. 온몸에 힘을 빼고 반듯하게 누워 엉덩이에 힘을 줘서 골반을 들어 올림으로써 코어는 물론 골반까지 이완시키고, 걸을 때 꼭 필요한 엉덩이 근육도 자극할 수 있다.

❶. 바닥에 누워 무릎을 굴곡하고 손을 바닥에 위치하여 준비한다.

❷. 엉덩이를 수축한 상태로 골반을 정점까지 올린 후 천천히 시작 위치로 돌아간다.

의자에 앉아서
할 수 있는 운동

암 환자의 운동은 시간과 장소에 구애받지 않고 자유롭고 편하게 하는 것이 중요하다. 수술 받은 환자의 1차 목표는 슬슬 걷는 것이다. 몸이 어느 정도 회복되어 침대 생활에서 걷기로 넘어갈 때 추천할 수 있는 운동으로 의자에 앉아서 할 수 있다. 이 운동들은 침대에 누워 있을 때보다는 운동 강도가 조금 더 세며, 항암치료로 인한 부작용을 덜어주는 예비 동작들이라고 할 수 있다.

운동은 총 5가지로 틈나는 대로 진료를 기다리거나, 친구나 가족이 면회 왔을 때 등 짬짬이 할 수 있으니 실천해보자. 항암치료가 주는 고통이 훨씬 완화됨을 느낄 수 있을 것이다.

배꼽 잡아당기기

암 진단을 받은 후 어떤 부위의 수술을 받든 어느 정도 회복하면 할 수 있는 간단한 운동법이다. 이때 중요한 것은 자세로 허리를 꼿꼿이 펴는 것이다. 수술 후에는 소화 능력을 비롯해 배변 활동 등 기초적인 신진대사의 균형이 무너진다. 이때 배꼽 잡아당기기 운동이 도움이 된다.

가장 깊숙한 코어 근육 가운데 하나인 복횡근을 발달시켜 복부와 척추의 힘을 기를 수 있는 운동으로 환자가 노력만 하면 금세 효과를 볼 수 있다. 그러니 꾸준히 의자에 앉을 때마다 실천해보자. 수술 후 오는 복부 팽만감이나 더부룩함 같은 증상들이 호전되는 것을 느낄 수 있을 것이다.

❶. 의자에 앉아 숨을 내쉬면서 배꼽을 안쪽으로 집어넣고 항문을 오므려 6~10초간 유지한다.

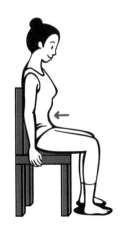

❷. 잠시 힘을 뺐다가 다시 반복한다.

척추 스트레칭

회복 기간에 척추를 스트레칭해주는 게 좋다. 이 운동은 자기도 모르게 수술 후 움츠러드는 가슴을 열고, 척추를 바로 세우는 데 효과적이다.

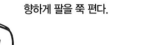

❶. 양손을 깍지 끼고 손바닥이 위로 향하게 팔을 쭉 편다.

나영무 박사의 암 치유 기적의 운동

❷. 팔을 뒤쪽으로 쭉 펴 양손을 깍지 낀 후, 가슴을 펴면서 자세
를 유지한다.

❸. 머리와 등을 숙이면서 양팔을 앞으로 뻗어 다시 깍지 낀다.

발목 위아래 좌우로 움직이기

서서 버티거나 걸으려면 몸 전체를 지탱하는 발목의 안정성과 근력 강화가 필요한데 여기에 적합한 운동이다. 빨리 회복해야겠다는 의욕 때문에 아직 완전히 회복되지 않은 상태에서 무리한 운동을 하다가 무릎을 다치는 경우도 많으며, 균형 감각이 되돌아오지 않아 넘어져 큰 부상을 입기도 한다. 그러니 천천히 머리 끝부터 발끝까지 하나하나 감각을 점검하면서 체력에 맞게 운동하는 것이 중요하다.

발목 위아래, 좌우로 움직이기 운동은 발목을 유연하게 해줘 쓰러시지 않고 서 있고, 걸을 수 있게 해준다. 다리와 엉덩이 근육 강화와 함께 균형 능력을 높이기 위한 운동이다.

❶. 의자에 앉아 한쪽 다리를 들어 무릎과 수평이 되도록 들어 올린다.

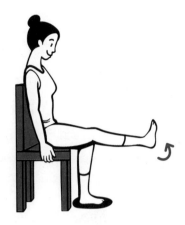

❷. 이어 발끝을 위로 올렸다 내렸다를 반복한 뒤 좌우로도 돌린다. 반
대쪽 다리도 같은 방법으로 한다.

앉아서 무릎 당기기

대부분 앉거나 누워서 생활하는 암 환자들을 위한 운동으로 좌골신
경을 압박하는 엉덩이와 허리 근육을 부드럽게 풀어주는 동작이다.

❶. 의자에 앉아 한쪽 다리를 접어 올린 뒤
양손으로 접은 다리의 무릎을 아래로 밀
며 30초간 유지한다.
❷. 접은 다리를 양손으로 잡아 가슴으로 끌
어당겨 30초간 유지한다.

앉아서 다리 한쪽 들고 있기

복근과 허벅지 근육을 강화시키며 특히 무릎 관절을 보호하는 운동이다. 의자에 앉아 허리를 반듯하게 한 뒤 오른쪽 다리를 들어 올린다. 이때 무릎은 쭉 펴고 힘을 주면서 발끝은 최대한 몸쪽으로 당겨 스트레칭이 되도록 한다. 10초 동안 자세를 유지한 뒤 다리를 천천히 내리는데 같은 방법으로 왼쪽 다리도 한다. 이 동작을 5~10분간 반복한다.

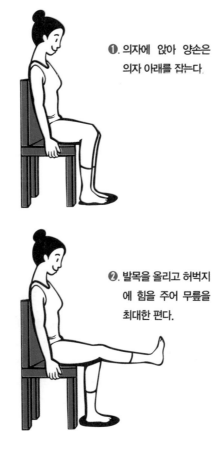

❶. 의자에 앉아 양손은 의자 아래를 잡는다.

❷. 발목을 올리고 허벅지에 힘을 주어 무릎을 최대한 편다.

걸을 수 있게 되었을 때
할 수 있는 운동

앞서 말한 것처럼 암 수술을 받은 후 가장 힘든 점은 일상생활을 하기 어렵다는 것이다. 일반인들은 전혀 생각하지 못할 정도로 균형 잡는 것도 어렵고, 입맛도 없으며, 시력이며, 청력 등 모든 기능들이 저하된다. 그러다 보니 자신감이 없어지고, 우울해진다.

그런 일을 조금이나마 완화시키고자 수술 전부터 수술 후 침대에서도 틈나는 대로 조금씩 몸을 움직여 근손실을 막기 위한 운동들을 소개했다. 이번에는 걸을 수 있게 되었을 때 하는 운동으로 천천히 실천하다보면 조금 더 센 강도의 운동을 할 수 있게 될 것이다.

기마 자세로 서 있기

기마 자세는 무릎을 살짝 굽히고 엉덩이를 내린 상태에서 자세를 유지하는 운동이다. 엉덩이 근육과 허벅지 앞쪽 및 안쪽의 근육을 발달시켜 다리 전체의 힘을 키우는 데 효과적이다. 엉덩이를 위로 올리면서 힘을 주게 되면 허리 근육도 함께 강화할 수 있다.

기마 자세를 꾸준히 하다보면 코어 근육이 튼튼해져 근감소증 예방과 함께 허리 통증 완화에도 도움을 준다. 특히 균형 감각을 키우는 데도 좋은 운동이다.

❶. 양손을 복부 앞에서 교차시키고 무릎을 살짝 굽혀 기마 자세를 취한다.
❷. 그 뒤 30초간 버티고 일어난다.

발뒤꿈치 들기

암 환자들은 대부분 누워 있거나, 무기력하게 앉아 지내는 시간이 많아 종아리와 발목 근육이 약해지기 쉽다. 이 운동은 종아리와 발목의 근력 강화를 위한 운동이다.

❶. 바르게 선다.
❷. 양손은 크로스해 팔뚝을 잡는다.

❸. 양 발가락에 힘을 주면서 발꿈치를 들고 10~20초간 버틴다.

런지

런지는 운동기구 없이 자신의 체중만을 활용해 할 수 있는 운동이다. 근육의 순발력은 물론 몸의 밸런스와 균형 감각을 높여준다. 또한 하체 관절의 안정성을 유지하면서 허벅지 근력도 강화시킬 수 있다. 런지는 운동 효과가 뛰어나지만 잘못된 자세로 하게 되면 부상 위험이 크기에 올바른 자세가 중요하다.

❶. 런지 동작을 취할 때 앞무릎은 90도 구부리고, 뒷무릎은 바닥에 닿을 만큼 내린다.

❷. 이때 뒷무릎이 바닥에 실제로는 닿지 않도록 해야 한다.

❷. 관절염이 있는 사람은 무릎을 많이 구부리지 않도록 한다.

나영무 박사의 암 치유 기적의 운동

허리와 골반 돌리기

척추는 골반 위에 얹혀 있기에 척추와 골반은 하나의 집합체처럼 같이 움직인다. 허리 척추와 골반의 리듬이 잘 유지돼야 몸에 문제가 없다. 한 몸처럼 부드럽게 움직이는 것이 중요하다.

하지만 누워 지내거나 오래 앉아서 지내는 암 환자의 경우에는 허리와 골반이 쉽게 굳어 부드러운 리듬이 나오기 힘들다. 허리와 골반의 유연성을 확보하고 틀어짐을 방지하기 위해서는 스트레칭이 중요하다.

❶. 양손을 허리 옆에 올린 후 골반과 허리를 오른쪽으로 5~6회 둥글게 돌린다.

❷. 이어 왼쪽으로도 같은 방법으로 실시하며 반복해 운동한다.

여덟 방향으로 다리 들기

엉덩이 및 허벅지 근육을 강화시키는 데 효율적인 운동이다. 엉덩이 근육은 서서 걷는 데 가장 중요한 근육이고, 다음이 허벅지 근육이다. 또한 복부와 허리 근육도 튼튼하게 해주면서 균형 감각을 키워준다.

이 운동으로 근력을 향상시키기 위해서는 약간 뻐근할 정도로 하는 게 좋다. 무엇보다 지탱하는 다리는 근육 신경 기능 회복이 되기에 내가 틈날 때마다 가장 많이 했던 운동이고, 가장 많은 효과를 얻었다.

❶. 한쪽 다리는 지지대 역할을 하고, 다른 쪽 다리를 들어 동 · 서 · 남 · 북, 북동 · 북서 · 남동 · 남서 등 여덟 방향으로 올렸다가 내린다.

❷. 몸통이 흔들리지 않도록 중심을 잡는 것이 중요하며 반대쪽 다리도 같은 방법으로 한다.

❸. 다리는 50~60도 정도로 들어 올리는 게 적당하며, 익숙해지면 90도로 상향시킨다. 각 방향당 운동 횟수는 20~30회가 좋다.

　여덟 방향으로 다리 들기 운동은 평소 잘 쓰시 않는 골반과 고관절 주위의 근육을 스트레칭해주고, 강화시켜주기에 '두 마리 토끼'를 잡을 수 있는 이점이 있다.

　처음에 중심 잡기가 힘들면 벽이나 테이블, 의자를 잡고 해보자. 몸에 무리가 없고 어느 정도 동작이 숙달되면 다리 각도도 상향하고, 횟수도 20~30회에서 30~50회로 늘린다.

암 환자, 운동에 대한
잘못된 생각 바로잡기

운동은 암 환자에게 생명줄과도 같아 주변에서 적극적으로 권유할 것이다. 하지만 암과 운동은 정말 미묘한 관계다. 그러니 무조건 운동해야 한다는 잘못된 생각으로 섣불리 시작하면 독이 될 수 있으니 주의해야 한다. 암 환자의 경우 운동하기 전 가장 선행되어야 하는 것이 있다. 바로 자신의 몸 상태를 꼼꼼히 점검하는 것이다. 혈압이나 심장 질환으로 약을 복용하는지, 숨이 차고 가슴에 통증을 느끼는 증상은 없는지 등을 살펴야 한다. 특히 뼈나 관절에 문제가 있는 환자의 경우 더 세심하게 체크해야 한다. 만일 뼈로 암세포가 전이된 경우 근력 운동뿐 아니라 스트레칭만으로도 골절 위험이 있다.

특히 근골격계 통증과 질환이 있다면 통증 조절과 함께 운동을 가려서 하는 지혜가 필요하다. 가령 무릎관절염이 있는데 등산 가는 것은 불에 기름을 붓는 격이다. 산을 내려올 때 체중보다 더 큰 부하가 무릎 관절에 가해지기 때문이다. 연골 손상 악화로 인한 통증은 물론 근육과 힘줄 손상도 일으킬 수 있다. 같은 맥락에서 계단 오르내리기도 바람직하지 않다.

허리디스크 증상이 있다면 자전거 타기는 피해야 한다. 허리를 숙이거나, 앉아서 힘을 주는 자세가 허리디스크에 가장 무리를 주는 동작인데, 자전거는 2가지 요소를 모두 갖추고 있다.

모든 운동의 출발점은 몸을 부드럽게 해주는 것이다. 이때 흔히 몸을 풀라고 하면 스트레칭을 떠올리는데 이는 정답이 아니다. 굳은 조직을 처음부터 스트레칭으로 무리하게 늘리면 근육, 힘줄 및 인대 등이 찢어질 위험이 있기 때문이다.

운동하기 전 가장 먼저 해야 하는 것은 맨손체조다. 맨손체조로 몸의 근육과 관절 등을 서서히 풀어주는 것이 스트레칭보다 먼저 해야 하는 운동이라는 점을 명심하자. 체조로 굳은 관절을 앞뒤 좌우로 움직여 부드럽게 풀어준 뒤 스트레칭으로 넘어가는 것이 모범 답안이다.

스트레칭은 충분한 시간과 여유를 갖고 천천히 하는 것이 바람직하다. 짧은 시간에 하면 근육이 오히려 수축되어 뻣뻣해질 수 있다. 적어도 한 동작당 30초~60초가량 해주자. 이때 강하고 빠르게 반동을 주면서 스트레칭하는 경우 근육이 파열될 수 있으니 주의해야 한다.

특히 암 환자는 신체 활동량이 적고, 눕거나 앉아서 생활하는 시간이 많다. 그래서 근육 뭉침도 다발성으로 발생하는데, 골반과 목, 어깨 부위에서 자주 일어난다. 그 부위 스트레칭에 더 신경 쓰자. 수술 뒤에는 당연히 움직임이 적어 몸이 잘 굳는다. 특히 골반 부위가 많이 굳는다. 골반 부위 역시 잘 풀어야 걷기와 서기 등을 제대로 할 수 있다.

또한 수술 부위의 조직 변형과 이에 따른 자세 불안정으로 몸이 비틀어지고 이상해진다. 암 환자의 몸 상태는 예전 같지 않다. 같은 운동을 하더라도 일반인에 비해 더 낮고 약한 강도를 유지하면서 천천히 시간을 두고 끌어올리는 것이 바람직하다.

운동의 시작은 약하게 반복하면서(근지구력운동), 점진적으로 강하면서 짧게(근력 운동) 하는 방향으로 진행한다. 근지구력이 강해야 다른 부상을 막을 수 있기 때문이다. 자세한 운동법은 파트 4에서 소개하고 있다. 자신의 체력과 컨디션에 맞춰 천천히, 하지만 꾸준히 해보도록 하자.

Part
5

항암 및 수술
후유증에 도움 되는
운동법

암을 이겨내기 위해서는 잘 먹고, 잘 자고, 잘 쉬어야 한다. 그야말로 가장 기본적인 기능들이 잘 작용할 때 수술도, 항암치료도 효과가 좋다. 그러려면 현격히 떨어진 신진대사를 끌어올려 몸의 기능을 제대로 돌려야 한다. 이때도 무엇보다 운동이 필요하다. 이번 파트에서는 항암 및 수술 후유증에 도움 되는 운동법을 소개한다.

신호등
운동법

● 항암치료 1~4일째 : 컨디션이 10~20%로 낮아 신호등 색깔에 비추어 본다면 빨간색이다. 이때의 운동 목표는 가볍게 몸을 풀면서 조금이라도 움직이는 데 있다.

● 항암치료 5~9일째 : 컨디션이 30~60% 상태로 색깔은 노란색이다. 2단계의 운동 목표는 유산소운동으로 혈액순환을 촉진하고, 항암제의 강한 독성으로 무너졌던 몸의 신경 기능을 회복하는 데 있다.

● 항암치료 10~14일째 : 컨디션이 70~80% 상태로 색깔은 초록색이다. 이 단계의 운동 키워드는 피트니스 개념이 담긴 '체력 저축'이

다. 기존 1~2단계에서 했던 운동의 질과 양을 업그레이드하고, 유산소운동과 근력 운동의 조화를 통해 체력을 충분히 비축하는 것이다.

● **체력이 어느 정도 비축된 후** : 가벼운 호흡 운동과 유연성 운동을 시작으로 강도를 조금씩 높여 조깅과 함께 웨이트트레이닝 등을 꾸준히 하도록 한다..

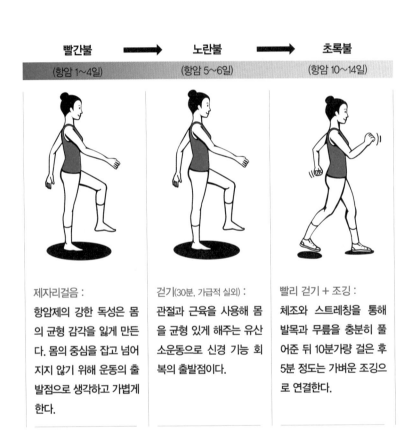

빨간불	➡	노란불	➡	초록불
(항암 1~4일)		(항암 5~6일)		(항암 10~14일)

제자리걸음 :
항암제의 강한 독성은 몸의 균형 감각을 잃게 만든다. 몸의 중심을 잡고 넘어지지 않기 위해 운동의 출발점으로 생각하고 가볍게 한다.

걷기(30분, 가급적 실외) :
관절과 근육을 사용해 몸을 균형 있게 해주는 유산소운동으로 신경 기능 회복의 출발점이다.

빨리 걷기 + 조깅 :
체조와 스트레칭을 통해 발목과 무릎을 충분히 풀어준 뒤 10분가량 걸은 후 5분 정도는 가벼운 조깅으로 연결한다.

벽에 손대고 버티기 :
양팔을 적당히 벌려 복근과 엉덩이 근육 등을 이용해 벽을 미는 동작이다. 버티는 과정에서 손, 팔, 상체 근육들이 강화되고 척추 건강에도 도움이 된다.

벽에 대고 팔굽혀 펴기 :
벽에 손을 대고 체중을 상체에 실리게 한 뒤 팔이 옆구리를 스친다는 느낌으로 내려갔다가 시작 위치로 돌아온다. 팔을 펼 때 손바닥 전체로 벽을 미는 것이 좋다.

바닥에 대고 팔굽혀 펴기 :
체중을 이용하는 저항 운동으로 뼈의 밀도를 높여 튼튼하게 해준다. 의자나 벤치 등 단단한 것을 이용하고, 익숙해지면 바닥에서 하는 단계로 올려 나가는 것이 좋다.

의자에 앉았다 일어나기 :
다리와 엉덩이 근육 강화
와 함께 균형 능력을 높이
기 위한 운동이다.

미니 스쿼트 :
무릎 연골과 관절에 부담
주지 않고 허벅지 근육을
강화하는 데 안성맞춤 운
동이다. 무릎 각도는 30
~45도가 적당하며, 무릎
을 구부릴 때 무릎이 발끝
앞으로 나오지 않도록 주
의하면서 허리를 곧게 펴
는 게 중요하다.

스쿼트 :
미니 스쿼트에서 발전하는
단계로 무릎 각도는 60
~90도로 한다. 어깨너비
로 다리를 벌린 뒤 발바닥
전체에 체중을 실어 천천
히 앉고 올라올 때는 무릎
이 아닌 허벅지와 엉덩이
힘을 활용한다.

방귀가
나오지 않을 때

암 환자가 수술 받은 뒤 방귀가 안 나오면 괴롭고 답답하다. 방귀가 나오지 않으면 물이나 음식물을 섭취할 수 없게 된다. 소화 능력이 상실된 상태에서 들어간 음식물은 소화되지 못한 채 장기에 고여 위험할 수 있기 때문이다. 방귀는 마취로 거의 중지된 장의 연동운동이 시작되었다는 증거다.

수술 후 아프고 힘들다고 계속 누워 있으면 장은 운동하지 않는다. 침대에서 몸을 좌우로 움직여 복부에 천천히 자극을 주고, 가급적 많이 걸어 장이 원활하게 움직일수록 방귀는 빠르게 나온다.

누워서 배를 불렸다가 집어넣기

어떤 질환이든 수술 후 다시 식사를 하기 위해서는 방귀가 나와야 한다. 암 역시 마찬가지다.

방귀를 뀌기 위해서 코어 근육을 강화하는 운동을 하면 좋다. 또한 코어 근육을 키우다보면 내복사근과 항문 주변 근육도 강화된다.

❶. 숨을 들이마셔 한껏 배를 부풀린다.

❷. 천천히 입으로 숨을 내쉬면서 배를 집어넣는다.

누워서 한쪽 다리 비틀기

수술 후 방귀를 빨리 나오게 하는 방법은 운동이다. 처음부터 무리하지 말고 침대에 누워서 한쪽 다리 비틀기 등을 통해 장이 원활하게 움직일 수 있는 환경을 만드는 것이 중요하다. 장 운동이 원활하면 방귀는 빠르게 나오게 된다.

❶. 시선을 위로 향하고 매트에 똑바로 눕는다.

❷. 한쪽 팔은 손바닥이 바닥을 향하게 펴고, 다리와 몸통을 비틀어 스트레칭한다.

❸. 이때 머리는 다리 반대 방향으로 돌리고, 반대쪽 손으로 무릎을 잡는다.

누워서 한쪽 다리 가슴 쪽으로 잡아당기기

방귀는 배에 있는 가스를 빼주는 역할을 한다. 방귀가 나온다는 것은 장이 건강하게 움직인나는 뜻이다. 선신마취를 하는 성우에는 마취제의 영향으로 인해 몸의 기관이나 장기가 약해져 운동을 거의 하지 않게 된다.

양쪽 다리를 번갈아 가슴 쪽으로 잡아당김으로써 장을 위아래로 운동시키는 작용을 한다. 마취로 인해 움직이지 않던 장이 다시 제대로 기능하게 하는 데 효과가 있다.

❶. 누워서 한 다리를 가슴 쪽으로 잡아당겨 스트레칭한다.

❷. 반대쪽 다리는 바닥에서 떨어지지 않도록 유지한다. 양쪽 다리를 번갈아 실시한다.

누워서 양쪽 다리를 가슴 쪽으로 잡아당기기

장의 활동이 원활해지도록 자극하는 것으로 암 환자들이 누워서 편안하게 '장 운동'을 할 수 있는 방법이다. 다리를 모아 양손으로 감싸 가슴까지 끌어당긴 뒤 부드럽게 호흡하면서 골반이 바닥과 떨어지지 않도록 1~2분간 자세를 유지한다.

❶. 누워서 양쪽 무릎을 깍지 껴서 잡은 뒤 두 다리를 가슴 쪽으로 잡아당긴다.

변비가
있을 때

항암제의 부작용 가운데 하나가 변비다. 몸의 움직임도 적고, 신진
대사량도 원활하지 않으면 변비가 온다. 또한 설사로 인해 몸의 수
분이 빠져나가면서 변비를 일으키기도 한다. 이때 섬유질이 풍부한
음식 섭취와 함께 복부를 자극하는 운동이 도움 된다.

또 변비 외에도 손발 저림이 있거나, 균형 감각이 없을 때 등 항
암제의 부작용에 시달리는 경우에도 적절한 운동을 하면 통증 완화
에 도움이 된다.

서서 복부 마사지 및 두드리기

장을 부드럽게 자극해 굳은 곳을 풀어주는 한편 수축과 팽창을 반복하는 연동운동을 촉진시키기 때문에 수술 후 누워 지내는 암 환자들에게 도움이 되는 동작이다.

❶. 다리를 어깨너비보다 약간 더 벌린 상태에서 발끝을 바깥쪽으로 향하게 한다. 기마 자세에서 허리를 펴고, 양손을 배 위에 올려 시계 방향으로 천천히 마사지한다.

❷. 복부에 힘을 주고 양손으로 복부를 두드린다. 20~30회씩 3~5세트 반복한다.

복부(몸통) 앞뒤, 좌우 회전 운동

수술 후 잘 먹지 못하다 보면 변비가 생긴다. 다이어트하는 사람들
이 화장실을 제대로 가지 못하는 것과 마찬가지라고 할 수 있다. 다
른 점은 다이어터들은 자의로 먹지 않는 것이고, 암 환자들은 먹으
려고 해도 먹을 수 없다는 점이다.

복부 앞뒤, 좌우 회전 운동은 허리와 골반의 유연성을 향상시키
고, 장 운동에 영향을 주는 등 주변 근육과 복부 주변 근육을 스트
레칭함으로써 배변에 도움을 주는 운동이다.

❶. 천장을 보면서 등과 허리를 곧게 펴고 3초간 유지한다.

❷. 머리를 숙여 배꼽을 보며 등과 허리를 둥글게 만들어 다시 3
    초간 유지한다.

❸. 시선은 왼쪽을 향하며 왼쪽 골반이 왼쪽
    겨드랑이와 가까워지게 한다.

❹. 오른쪽 역시 같은 방법으로 반복한다.

누워서 하늘 자전거 타기

배변에 좋은 운동은 복근 운동이다. 복근을 자극하면 대장 운동이 촉진되기 때문이다.

누워서 하늘 자전거 타기는 다리를 들고 심장보다 위에서 진행되기에 복부와 허리 근육 강화와 혈액순환에 좋고, 변비 해결에 도움 되는 운동이다. 등과 엉덩이 상단까지 바닥에 붙이고 하는 방법과 허리까지 띄워서 자전거 타듯 다리를 움직이는 방법이 있다. 무엇보다 다리를 드는 높이를 자신의 컨디션과 체력에 맞추는 게 중요하다. 암 환자들이 어떤 운동을 하든 꼭 기억해야 할 점은 바로 천천히, 할 수 있는 범위에서 시작하는 것이다.

❶. 등과 엉덩이 상단을 바닥에 붙인 뒤 다리를 들어 올린다.
❷. 마치 허공에서 자전거 페달을 밟듯 양다리를 가볍게 움직인다.

앉아서 허리 숙이기

장을 부드럽게 자극하면 복부 근육이 강화되고 배변 활동에도 도움이 된다. 두 발을 모으고 앉아 허리를 폈다가 천천히 허리를 숙이는 동작으로 장의 연동운동을 증진시켜 변비 예방에 도움을 준다. 이때 역시 무리하게 허리를 숙일 필요는 없다. 반드시 손으로 발끝을 잡아야 하는 것은 아니다.

❶. 바닥에 앉아 다리를 앞으로 뻗는다.

❷. 숨을 내쉬면서 상체를 숙여 양손을 발끝 쪽으로 뻗는다.

손발 저림이
있을 때(말초신경염)

항암 부작용으로 많이 발생되는 말초신경염은 치료를 마친 뒤에도
쉽게 사라지지 않고 오래 지속되는 편이다. 이를 완화시키기 위해
서 가장 중요한 것은 혈액순환을 원활하게 하는 것이다.

이를 위해 마사지와 함께 손가락 및 발바닥 치기를 하면 손발에
자극을 줘서 신경을 살리고, 혈액순환을 증진시키는 효과가 있다.
또한 스트레스 해소와 피로 회복에도 도움이 되고, 심장과 내장 기
관이 튼튼해진다.

손바닥, 손가락 치기

손가락이나 손바닥을 살짝 부딪쳐도 통증이 있을 수 있다. 고통스럽지 않은 정도에서 시작하는 것이 좋으며, 점차 통증이 완화되면서 강도를 높이도록 하자.

말초신경염으로 인해 연약해진 피부는 자칫 자기 손톱에도 상처가 생길 수 있다. 손가락 치기할 때 박수 치는 것처럼 하되 손에 힘을 빼고 손바닥이 아닌 양 손끝이 닿도록 하자.

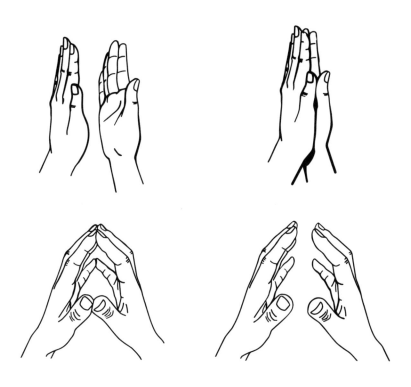

손가락 마사지

말 그대로 말초신경염은 혈액순환이 잘되지 않아 말초신경에 염증 세포들이 모이는 현상을 말한다. 그래서 손끝이 아픈 것이다. 이 증상을 완화시키기 위해 일상생활에서 가장 많이 사용하는 손가락 마사지가 필수적이다.

❶. 엄지와 검지로 손톱 앞뒤, 양옆을 지그시 눌러 준다.

❷. 손가락 하나하나 다 눌러 가볍게 자극을 준다.

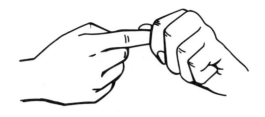

❸. 이어 열 손가락 전체를 돌아가면서 부드럽게 마사지한다.

주먹 쥐었다 펴기

손가락 치기와 마찬가지로 이때도 손톱이 너무 길지 않아야 한다. 자칫 연약해진 피부가 손톱 때문에 찢어져 상처가 생길 수 있으니 주의하자.

❶. 손을 일자로 고정시키고 손가락을 벌린다.

❷. 엄지손가락을 바깥으로 한 상태로 부드럽게 주먹을 쥔
다. 이때 주먹을 쥐어짜거나 너무 세게 쥐지 않도록 한다.
❸. 몇 초 동안 쥔 상태를 유지한 후 천천히 손가락을 편다.

발바닥 치기

암 환자의 대부분이 항암치료 부작용 중 하나인 말초신경염으로 인
해 발이 붓고, 걸을 때마다 통증을 느끼게 된다. 발바닥 치기는 발의
혈액순환을 증진시켜 발끝에 모여 있는 염증을 완화시키는 작용을
한다.

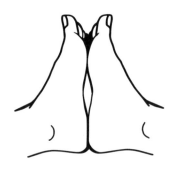

❶. 바닥에 앉아 다리를 벌려 두 발을 마주 댄다.

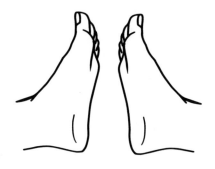

❷. 탁탁탁 소리가 날 정도로 발바닥을 세게 부딪쳐 박
수를 친다.

균형 감각이
없을 때

항암제의 강한 독성은 몸의 신경 기능을 무너뜨린다. 한마디로 몸의 균형 감각을 잃게 만드는 것이다. 감각을 인지하는 기능이 감소하면 걸을 때 어디에 중심을 두어야 하는지 인식하지 못해 균형을 잃고 넘어지게 된다. 그러한 상황을 방지하기 위해 균형 감각을 되찾을 수 있는 운동을 해야 한다.

다음에 소개하는 2가지 운동법만 꾸준히 하면 걷기는 물론 일상생활로 복귀할 수 있게 될 것이다. '한 발 들고 앞뒤, 좌우 찍기'를 시작해 '눈 감고 한 발 들고 서 있기'까지 해보자. 차츰 몸이 균형 감각을 되찾는 한편 운동을 지속할 수 있는 지구력도 향상된 것을 느낄 수 있을 것이다.

한 발 들고 앞뒤, 좌우 찍기

위치와 움직임을 감지하는 고유수용성 감각신경 기능을 회복하고, 균형 감각을 끌어올려 주는 운동이다. 또한 근 감소, 말초신경에 이상이 있을 때 효과적인 운동이기도 하다.

이 운동에 앞서 한쪽 다리를 들어 올린 뒤 한 발로 서서 10초 이상 균형을 유지하는 운동을 해주면 효과적이다. 이 운동을 할 때 가장 중요한 것은 밸런스를 유지하면서 넘어지지 않는 것이다. 만일 똑바로 서서 하기 어려울 정도라면 한 손으로 벽을 짚고 해보자. 점차 몸이 균형을 찾기 시작하면서 한 발 들고 앞뒤, 좌우 찍기를 하도록 하자.

❶. 오른쪽 다리로 선 뒤 왼쪽 다리를 들고 양팔을 벌린다.

❷. 왼쪽 다리로 먼저 앞을 찍고, 뒤를 찍은 뒤
   좌측을 찍고 우측을 터치한 뒤 시작 위치로
   돌아온다.

❸. 같은 방법으로 오른쪽 다리를 들어 앞-뒤-
   좌-우로 터치한 뒤 제자리로 돌아온다.

눈 감고 한 발 들고 서 있기

한 발로 서 있기에 눈만 감는 것으로 평형성을 측정하는 방법이다. 다리의 균형과 골반의 안정성은 물론 엉덩이 근육을 탄탄하게 만드는 데 도움이 된다. 눈 감고 한 발로 서 있기를 하면 처음에는 금세 균형을 잃는다. 평형감각의 한 축인 시각이 없어져서다. 이 운동을 꾸준히 하면 몸의 균형을 유지하는 능력이 높아진다.

❶ 똑바로 서서 눈을 감고 양팔을 벌린 뒤 한 발을 들고 몸의 밸런스를 유지한다.

서서 체중 이동하기

바르게 선 뒤 체중을 앞으로 실었다가 제자리로 돌아오는 운동이다. 같은 방법으로 좌우 반복하는데 균형 감각을 향상시켜 넘어지는 것을 방지하는 데 도움이 된다. 더 쉽게 하려면 벽에 양 손바닥을 고정한 뒤 몸의 중심을 이동하는 것이 좋다.

❶ 벽을 보고 바르게 선다.

❷. 벽에 양 손바닥을 고정한 뒤 발은 움직이지 않은 상태에서 체중을 왼쪽으로 실었다가 제자리로 돌아온다. 이어 몸의 중심을 오른쪽으로 이동했다가 제자리로 돌아온다.

의자 짚고 한쪽 다리를 든 뒤 손 뻗기

이 운동 역시 균형 감각을 되살리기 위한 방법 중 하나다. 균형감 외에도 발목 주변 근육과 힘줄의 유연성을 향상시키고, 발목의 안정성에도 도움이 된다.

❶. 의자를 잡고 한쪽 다리를 든다.

❷. 그 상태에서 손을 앞으로 뻗으면서 균형을 유지한다.

❸. 팔을 아래로 뻗어 좌우 옆으로 움직여 균형을 유지한다.

피로감을
느낄 때

암 환자가 달고 사는 것 가운데 하나가 '암 피로'다. 이전에 가볍게 해냈던 일도 한 번에 하지 못하고 무기력감을 느끼거나, 쉽게 지치고 잠도 자지 못해 피곤함을 호소한다. 이럴 때는 근육을 사용하는 근력 운동보다는 맨손체조가 바람직하다.

대표적인 것이 국민체조로 전신 근육을 다 쓸 수 있도록 고안되었다. 무엇보다 자신의 몸 상태에 맞춰 동작을 선택할 수 있다는 장점이 있다. 또한 유연성 증가는 물론 신진대사를 촉진하면서 몸의 피로를 해소하는 데 도움을 준다.

숨쉬기

암 자체에 대한 치료로 수술, 항암치료, 방사선 치료를 받는다. 그리고 치료 과정에서 육체적, 정신적, 사회적 문제들에 맞닥뜨리게 된다. 암과 연관돼 컨디션이 나빠지면 신체 활동이 감소하고 더 나아가 피로감을 느끼게 된다. 이때 도움 되는 것이 숨쉬기다. 경직된 몸을 편안하게 이완시키고, 스트레스 완화와 함께 피로를 더는 데 도움이 된다.

❶. 양 손바닥을 마주 보게 해서 팔을 위로
   들어 올린다.

❷. 옆으로 내리면서 숨을 내쉰다.

팔 들어 흔들어 앞뒤로 휘돌리기

몸을 푸는 스트레칭이자, 굳은 조직을 부드럽게 해주는 운동이다.
굳은 조직을 유연하게 해주어 혈액순환이 잘 되게 해준다. 유연성
이 증가되면 신진대사를 촉진하면서 근력 강화에도 좋고, 뭉친 근
육 푸는 데도 도움이 된다.

팔 들어 흔들어 앞뒤로 휘돌리기 동작은 어깨와 팔 부위 등의
스트레칭에 효과적이다. 암 환자의 경우에는 빠른 속도 보다는 부
드럽고 천천히 동작을 진행해 유연성을 키우는 것이 바람직하다.

❶. 어깨높이로 팔을 들고 내린다.

❷. 이어 팔을 머리 위로 들었다. 내린 뒤 다시 앞으로 휘돌리고, 반대로 휘돌린다.

나영무 박사의 암 치유 기적의 운동

목 돌리기

국민체조는 전신 근육을 다 쓸 수 있도록 고안된 체조다. 그중 목 돌리기는 목 주변의 근육을 유연하게 해주고, 누워만 있거나 신체 활동이 많지 않은 암 환자들에게 좋은 운동이다.

목 돌리기는 스트레스나 수면 부족 등으로 인해 경직된 목 주변 근육들을 부드럽게 풀어주는 한편 경추성 두통 완화에도 도움이 된다.

❶. 양손은 허리에 올리고 고개를 앞으로 숙인 뒤 왼쪽부터 시작해 한 바퀴 부드럽게 돌린다.

❷. 이어 같은 방법으로 오른쪽으로도 한 바퀴 돌린다.

가슴 젖히기

약해진 폐 기능과 등 근육을 강화시키기 위한 운동이다. 가슴을 펴면서 숨을 크게 들이마시고, 오므릴 때 내쉬는 게 포인트이며, 발끝이 15도 정도 밖을 향하게 어깨너비만큼 벌리고 서는 게 좋다.

❶. 양손을 등에 대고 올리면서 가슴도 활짝 펴 젖힌다.

❷. 손을 등에서 내릴 때 고개를 숙이고 가슴을 오므린다.

❸. 가슴을 펼 때 숨을 들이마시고 오므릴 때 내쉰다.

나영무 박사의 암 치유 기적의 운동

몸 옆으로 구부리기

옆구리와 척추 주변 근육의 유연성을 증진시키는 운동이다. 수술이나 항암치료로 인한 통증 때문에 자꾸 몸을 웅크리게 되는데, 기구 없이 할 수 있는 간단한 맨손체조로 가볍게 몸을 푸는 데 안성맞춤이다.

❶. 오른쪽 팔을 위로 들며 몸을 왼쪽으로 굽혔다가 편다.

❷. 다시 반대 방향으로 같은 동작을 5회 한다.

몸 굽히고 젖히기(등배)

등과 배를 단련하기 위한 등배운동은 유연성과 함께 장의 연동운동 촉진에 도움을 준다. 등배운동 시 과도하게 상체를 뒤로 젖히지 않고, 몸에 힘을 빼고 하는 것이 핵심 포인트다.

❶. 손바닥을 땅에 대듯 몸을 앞으로 굽혔다가 똑바로 선다.

몸통 옆으로 틀기(몸통)

❷. 이어 양손으로 허리를 받치고 몸을 뒤로 젖힌다.

암 환자는 두 부위의 스트레칭에 신경 써야 하는데, 잘 굳는 골반 근육, 그리고 수술 후 자세 불안정으로 근육 뭉침이 자주 발생하는 목과 어깨 부위다.

몸통 옆으로 틀기는 골반 근육을 푸는 데 효과적이다. 또한 등과 허리 등 상체 근육을 부드럽게 해주는 한편 뭉치고 뻣뻣한 근육을 푸는 데도 좋다. 몸을 틀 때는 팔에 힘을 뺀 뒤 손이 몸에 닿게 하고 머리도 같이 가볍게 돌린다.

❶. 양팔을 가볍게 흔들면서 오른쪽으로, 몸은 왼쪽으로 튼다.

❷. 이어 반대 방향으로 틀고,
제자리로 돌아온다.

노젓기(온몸)

맨손으로 하는 노젓기 운동은 허리에서 등에 걸쳐 있는 큰 삼각형
모양의 광배근, 복근, 그리고 하체 근력을 키우는 데 효과적이다. 척
추를 곧게 편 자세에서 엉덩이에 힘을 주고 골반을 접었다 폈다 하
는 느낌으로 하면 된다. 노젓기 운동은 엉덩이와 다리 근육을 키우
는 데 적합하다. 천천히 그리고 꾸준히 한다면 런지 운동과 비슷한
효과를 볼 수 있는데 굽은 등을 펴거나 척추 근육 강화에도 도움
된다

❶. 몸을 오른쪽으로 튼
뒤 양팔을 들어서 쭉
폈다가 오므린다.

❷. 이어 왼쪽으로 틀어 같은 방
법으로 반복한다.

암 환자의 또 다른 적
'골다공증'

근감소증과 함께 암 환자를 위협하는 또 다른 적은 '골다공증'이다. 골다공증은 뼈의 밀노가 약해지면서 뼈에 구멍이 많이 생기는 병이다. 신체의 다양한 부위에서 발생할 수 있지만 척추와 고관절, 손목 부위에서 주로 나타난다.

골다공증은 골밀도 검사를 통해 티 스코어(T-scores) 수치로 판단한다. 티 스코어가 -1 이상이면 정상, -1~-2.5는 골 감소증, -2.5 이하를 골다공증으로 분류한다. 대부분 증상이 없지만 가벼운 충격에도 뼈가 부러지는 골절로 이어져 '침묵의 질환'으로 불린다. 특히 암 환자는 3대 표준 치료와 약물치료의 영향, 그리고 영양부족과 운동 부족 탓에 골다공증 위험성이 크다. 유방암, 갑상선암, 전립선암 환자 등이 골다공증에 취약한 편이다.

골다공증이 무서운 이유는 뼈가 부러지면 신체의 움직임이 줄어들게 되고, 활동량 감소는 결국 면역력 저하로 몸을 약하게 만들어 사망까지 이르게 할 수 있기 때문이다. 그러면 골다공증 예방을 위해 무엇을 해야 할까?

먼저 정기적으로 골밀도 검사를 받아야 한다. 사실 뼈가 부러지기 전이나 심지어 골절 후에도 골다공증 증세를 모르는 환자들이 많은 만큼 검사를 통해 체크할 필요가 있다. 또한 균형 잡힌 식단을 통해 충분한 영양 공급은 물론 비타민 D와 칼슘을 섭취하는 것이 중요하다.

이 중에서도 가장 좋은 예방법은 적절한 운동이다. 근력 운동은 뼈를 튼튼하게 해줄 뿐 아니라 균형 감각도 향상시켜 넘어지지 않도록 도와주기 때문이다. 근력 운동은 몸의 코어를 먼저 강화시킨 후 무릎과 발목으로 내려가야 한다. 앞서 언급한 브릿지 익스텐션, 플랭크 등이 대표적인 코어 운동이다.

꾸준한 운동은 근력은 물론 고유수용감각과 평형감각도 길러준다. 근력 운동과 함께 햇볕을 쬐면서 하루에 한 시간가량 가볍게 걷는 것도 골다공증 예방에 좋다. 특히 골다공증이 심한 환자들의 경우에는 운동 시간과 강도 등을 조절해 몸에 무리가 가지 않도록 하는 것이 중요하다.

Part
6

대표 8대 암에
도움 되는 운동법

수술은 '근육'의 관점에서 보면 후유증이 많다. 수술 부위 근육이 잘리면 한쪽은 짧고, 다른 쪽은 길어진다. 이른바 몸의 균형이 깨지는 생체역학적 변화로 자세가 구부정해지고 비뚤어진다. 그래서 똑바로 누우면 불편하고, 비스듬히 누워야 편하기도 한다.

또 수술로 잘리면서 약해진 근육은 사용하지 못하면서 더 약해지는 이중고에 시달린다. 이처럼 암 환자는 수술 후 근육 손상과 몸의 유연성 저하, 그리고 수술 주변 부위 통증으로 고생한다. 통증 완화를 위해서는 수술 받은 부위에 따라 적절한 운동을 하는 것이 바람직하다.

유방암

유방 절제술을 받은 환자는 어깨 통증을 자주 겪는다. 대부분 수술 받은 부위에 가까운 어깨 쪽에서 통증이 많다. 수술로 근육과 신경 일부가 손상됐기 때문이다. 한쪽 어깨가 아프니까 반대쪽 어깨를 더 많이 사용하다가 결국 반대쪽 어깨에도 통증을 느끼게 된다.

또한 어깨관절과 근육의 불균형으로 인해 어깨뼈와 힘줄이 충돌해 통증과 염증을 유발하는 어깨충돌증후군도 찾아온다. 특히 수술 부위의 유착과 어깨에서 날개뼈에 이르는 근육들이 뻣뻣하고 자주 뭉치게 되면 오십견으로 발전할 수 있다. 어깨관절의 유착 부위 마사지, 근육 마사지 및 스트레칭과 함께 근육 강화 운동이 필요하다.

날개 뼈 올렸다 내리기

수술로 인해 어깨관절 범위가 축소되고, 유착과 염증으로 인한 통증을 호소하는 유방암 환자들을 위한 운동이다. 날개뼈의 안정성을 향상시키면서 양쪽 어깨의 균형을 맞춰주는 운동이다.

❶. 양 날개뼈를 위로 올렸다가, 아래로 내린다.

❷. 어깨를 반복적으로 으쓱으쓱 움직인다.

천사 운동

등과 가슴 근육을 단련하면서 양팔을 연결하는 날개뼈와 어깨뼈의 움직임을 향상시켜준다. 두 팔을 어깨보다 조금 넓게 벌려 머리 위로 쭉 뻗은 뒤 양 팔꿈치를 천천히 아래로 내려 W자 모양으로 만든다.

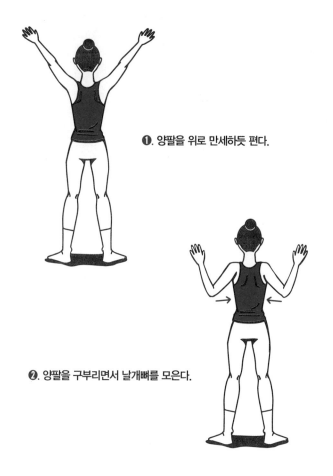

❶. 양팔을 위로 만세하듯 편다.

❷. 양팔을 구부리면서 날개뼈를 모은다.

나비 운동

유방암 수술 후에는 어깨관절과 근육의 불균형이 생긴다. 허리와 어깨에 부담되는 무게도 달라지고, 수술한 쪽의 어깨 근육이 짧아지는 비대칭으로 인해 자세도 틀어진다. 특히 어깨 근육도 뻣뻣해지고 쉽게 뭉치면서 통증을 유발한다. 나비 운동은 경직된 근육을 부드럽게 풀어주는 데 효과적인 동작이다.

❶. 양손을 머리 위에 놓는다.

❷. 양팔을 나비가 날개를 접었다 펴듯이 운동한다.

어깨 돌리기(어깨 회전 운동)

날개뼈는 하나의 축으로 몸통에 붙어 어깨관절을 조절해주는 역할을 한다. 날개뼈에 붙는 근육들은 목에서도 오고, 어깨와 팔에서도 온다. 이 근육들은 작기 때문에 쉽게 약해지고, 굳기 때문에 신경을 많이 써야 한다. 어깨와 날개뼈에 이르는 근육들이 뻣뻣하고 자주 뭉치면 오십견으로도 발전할 수 있다. 어깨 회전 운동은 어깨관절 범위 향상과 안정화를 돕는다.

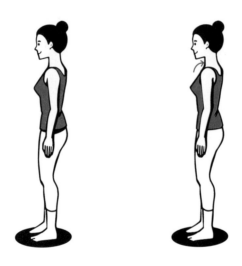

❶. 발은 어깨너비로 벌려 몸이 기울어지지 않게 균형을 잡는다.

❷. 긴장을 푼 뒤 어깨를 앞에서
뒤로 회전하면서 움직인다.

어깨 회전근 강화 운동

어깨관절은 팔을 움직이는 축이다. 유방암 환자들이 가장 많이 고통을 호소하는 부위이기도 하다. 이때 어깨와 팔을 연결하는 4개의 근육(극상근, 극하근, 소원근, 겹갑하근) 및 힘줄로 이뤄진 어깨 회전근을 강화하면 통증 완화에 도움이 된다.

❶. 팔을 가볍게 벌려 손바닥은 뒤로 가게 한다.

❷. 그 상태에서 팔에 살짝 힘을 주면서 손바닥이 앞을
향하게 뒤집는다.

❸. 어깨를 젖혀 손바닥이 옆을 향하게 하며,
날개뼈도 뒤로 젖힌다.

갑상선암

갑상선을 절제하고 나면 목 주변에 통증이 많다. 수술할 때 장시간 머리가 뒤로 젖혀진 자세로 있어야 하기 때문이다. 또한 근력 유지에 필요한 갑상선호르몬 분비도 감소된다. 특히 목 주변 근육이 비틀리면서 뻣뻣한 느낌, 목 통증과 함께 두통도 생긴다.

수술 부위 주변 근육이 위축되고 뭉치면서 목을 좌우, 앞뒤로 움직이는 데 제한이 발생한다. 수술 직후부터 목 운동을 하는데 상처가 안정될 때까지 목을 과도하게 뒤로 젖히는 동작은 피하고, 마사지나 스트레칭으로 목 주변 근육을 가볍게 푸는 게 더 효과적이다.

목 주변 근육 스트레칭

수술 부위 주변 근육이 위축되고 뭉치면서 목을 좌우, 앞뒤로 움직이는 데 어려움을 겪게 된다. 이때 필요한 운동이 바로 목 주변 근육 스트레칭이다. 서서히 목을 움직여 유연성을 기르는 동작이므로 무리하게 목을 꺾는 것은 위험하다.

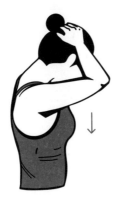

❶. 뒤쪽 : 턱을 살짝 당긴 상태에서, 양손을 머리 뒤쪽에 두고 아래로 누른다.

❷. 앞쪽 : 양 엄지손가락을 이용해 턱을 지긋이 위로 올려준다. 이에 앞서 양손으로 목 아래 가슴을 고정하고 천천히 뒤로 젖힌다.

❸. 옆쪽 : 한 손을 머리 옆에 위치시키고, 어깨
　　방향으로 잡아당긴다. 좌우로 반복한다.

목 앞뒤로 움직이기

목을 앞뒤로 움직여 근육을 이완시키는 운동이다. 손쉬운 동작인데 통증 완화에 도움이 된다. 귀찮다고, 아프다고 가만히 있지 말고, 목을 천천히 앞뒤로 움직여보자. 이와 함께 옆에서 봤을 때 귀와 어깨를 잇는 선이 일직선이 되는 바른 자세를 유지하는 것도 중요하다. 옆으로 또는 엎드려 자면 목 척추가 틀어지기 때문에 피하는 것이 바람직하다.

❶. 시선은 정면을 향한다.

❷. 목을 앞 · 뒤로 움직인다. 이때 어깨는
최대한 움직이지 않는다.

손으로 밀면서 머리로 버티기

목에 적당한 힘을 주면서 버티는 운동 역시 갑상선암 환자들을 위해 좋은 운동이다. 목 주변 근육을 강화하고 풀어주면 뇌로 가는 혈류도 증가해 목 뒤 통증, 편두통, 어깨 주변 결림 등을 완화하는 데 도움이 된다. 꾸준한 운동으로 목의 근력을 강화하는 것은 궁극적으로 경추에 가해지는 압력을 줄일 수 있다. 하지만 목을 과도하게 꺾거나 움직이는 것은 오히려 목 건강에 악영향을 미치기 때문에 부드럽게 해주는 것이 바람직하다.

❶. 옆쪽 : 한 손을 머리 측면에 위치시킨 후 머리를 밀어 버틴다. 좌우 번갈아 가며 실시한다.

❷. 뒤쪽 : 양손을 머리 뒤쪽에 놓고, 턱을 당
긴 상태에서 머리를 뒤로 밀어 버틴다.

❸. 앞쪽 : 양손을 이마에 위치시키고, 같은 방
법으로 버티기를 시행한다.

폐암

폐를 수술하고 나면 기능은 당연히 떨어진다. 이를 보강하기 위해 호흡할 때 쓰는 근육을 강화해야 한다. 바로 코어 근육 가운데 하나인 횡격막이다. 낙하산 모양의 횡격막은 폐와 복부 사이에 있는데, 주로 폐의 기능과 복압을 유지하면서 다른 코어 근육들과 함께 유기적으로 움직인다.

횡격막 호흡 운동은 복식호흡을 하는 것이다. 폐활량을 좋게 하기 위해 가슴을 편 뒤 풍선을 부는 것처럼 숨을 들이마실 때는 공기를 가득 채우는 느낌으로, 숨을 내쉴 때는 폐에 있는 공기를 모두 빼내는 느낌으로 하면 좋다. 또한 가벼운 상체 근력 운동과 유산소 운동을 병행하는 것도 좋다.

깊은 호흡 운동

폐 기능을 향상시키기 위한 운동이다. 바른 자세로 앉아 복부에 힘을 주고 깊은 숨을 들이마실 수 있도록 연습한 다음 일정 시간 숨을 참는 훈련을 반복하다보면 익숙해진다. 깊은 호흡을 하면 장을 마사지하는 효과도 있어 장 건강에도 좋다.

❶. 바른 자세로 앉아 최대한 숨을 들이마시고 1~2초간 유지한 뒤, 두 번에 나누어 뱉는다.

작은 윗몸일으키기

척추에 큰 무리를 주지 않는 작은 윗몸일으키기는 복근을 강화하는데 효과적이고, 허리 근육을 늘려 척추관을 확장하고 유연하게 한다. 이때 부상 방지를 위해서는 정확한 자세가 중요하다.

발바닥이 지면에 닿은 상태에서 목과 어깨에 힘을 주지 않고 복근에만 집중해 천천히 하는 것이 바람직하다.

❶. 등을 대고 누워 무릎을 접는다.

❷. 양손을 무릎 쪽으로 뻗으며 날개뼈가 살짝
   들릴 정도까지만 상체를 올린다.

미니 스쿼트

무릎 연골과 관절에 부담을 주지 않고, 허벅지 근육을 강화하는 데 안성맞춤이다. 허벅지와 엉덩이 근육을 강화시켜주는 스쿼트는 자세가 중요하다. 어깨너비로 다리를 벌린 뒤 발바닥 전체에 체중을 실어 천천히 앉고, 올라올 때는 무릎이 아닌 허벅지와 엉덩이 힘을 활용해야 한다.

❶. 벽에 등을 대고 선다.

❷. 무릎 각도가 30~45도쯤 되게 구부린다. 이때 무릎이 발끝을 넘지 않도록 한다.

자궁암과
전립선암

자궁암이나 전립선암 수술 후에는 주로 골반 통증과 요실금을 겪는다. 골반 근육과 신경 등의 손상 때문인데 누웠다가 일어날 때 아프고, 걷고 나면 아프다. 또한 골반 근육이 뻐근하고 뭉치면서 통증을 느끼기도 한다. 신경 손상으로 인한 허벅지 근육 약화는 걷기도 힘들게 하고 통증도 유발한다.

골반이 틀어지면 체중이 한쪽 골반으로 쏠리면서 스트레스가 쌓이고, 결국 근육이 손상되면서 뭉치게 된다. 딱딱하게 뭉친 근육은 그 사이를 지나가는 좌골신경을 압박해 통증을 일으킨다. 케겔

운동이나 골반 및 허벅지 근육 강화 운동, 골반 근육 스트레칭을 해
주면 도움이 된다.

케겔 운동

원래 케겔 운동은 요실금 및 과민성 방광, 전립선비대증 등 중년 이
후에 찾아오는 불편한 증상들을 막아주는 신체 활동이다. 자궁암이
나 전립선암 수술 후 골반 근육 강화 운동과 골반 근육 스트레칭을
해주면 도움이 된다.

❶. 괄약근에 힘을 줘 엉덩이 근육을 조인 상태로 6초간 정지 후
살짝 힘을 뺏다가 다시 힘주기를 반복한다.

❷. 발을 어깨너비로 벌리고 11자로 놓는다.

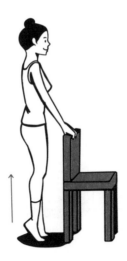

❸. 양손은 의자를 잡아 균형을 유지하고 발뒤꿈치를
최대한 높게 들어 올렸다가 내린다.

골반 기울이기 운동

골반 기울이기 운동은 골반과 허리를 리듬감 있게 움직이는 동작이다. 허리 주변의 안정성이 향상돼 통증이 감소되고 골반의 움직임이 유연해진다.

골반의 리듬이 좋으면 척추 축도 튼튼해지고 코어 근육도 강화된다. 만일 골반이 틀어지면 척추와 골반 사이의 관절인 천장관절도 어긋나기 때문에 평소 바른 자세를 유지하고, 골반 근육이 수축과 이완할 수 있도록 운동으로 꾸준히 관리하자.

❶. 다리를 어깨너비로 벌린 뒤 무릎을 살짝 구부리고 상체를 앞으로 기울인다. 양손은 골반에 올린다.

❷. 허리에 힘을 준 뒤 골반을 엉덩이 쪽으로 밀어
준다.

❸. 배에 힘을 주고 골반을 복부 쪽으로 당긴다.

나영무 박사의 암 치유 기적의 운동

레그 프레스

레그 프레스는 헬스장에서 가장 많이 하는 운동 가운데 하나다. 다리로 발판을 밀어주는 레그 프레스는 허벅지 앞뒤, 엉덩이 근육 등 하체 근육을 고르게 키우는 데 효과적이다.

기구를 이용하기 때문에 자세 잡기가 쉽고, 비교적 몸에 무리가 가지 않아 쉽게 시작할 수 있다. 하지만 암 환자의 경우 관절이 약하니 과하게 하는 것은 삼가야 한다. 자신의 근력에 맞게 무게를 선택하고, 몸 상태에 따라 발을 구부리는 각도도 조정하면서 유연하게 하는 것이 바람직하다.

다리 들기 운동

다리 들기 운동은 일명 SLR^{Straight leg raise}로 불리는데, 자궁암과 전립선암 수술 후 무리하지 않고 근육을 단련하는 데 좋다. 다리를 들고 중력을 버티면서 근육을 사용하기에 복부 및 코어 근육, 그리고 허리와 엉덩이 근육을 강화하는 데 안성맞춤이다.

이 운동을 꾸준히 하면 균형 감각은 물론 운동 능력과 몸의 밸런스를 유지하는 데 큰 도움이 된다.

①. 누워서 다리를 펴고 위로 올리기, 엎드려 다리 올리기, 옆으로 누워 다리 올리기를 한다.

❷. 올린 상태로 10초 정지 후 시작 위치로 돌아간다.

대장암과
간암

개복 수술을 받고 나면 배가 당기고 아프다. 복근이 잘려 상체가 앞으로 숙여져 구부정해진다. 또한 몸이 비틀어지고, 코어 근육도 망가진다.

이런 상태에서 윗몸일으키기 같은 복부에 과도한 힘을 주는 운동은 심한 경련을 일으키므로 주의해야 한다. 그럼에도 불구하고 개복 수술 후 가장 신경 써서 해야 하는 운동은 코어 근육이다.

무릎 대고 플랭크

무리하지 않는 선에서 코어 근육을 다시 강화시키는 운동이다. 이 운동은 아무리 무릎을 대고 플랭크를 하더라도 상처가 아물지 않은 상태에서는 무리다. 그러니 어느 정도 상처가 회복된 후 시작할 수 있도록 하자.

❶. 바닥에서 팔꿈치와 무릎을 이용해 몸통을 들어 올려 버틴다.

❷. 허리가 젖혀지지 않도록 배에 힘을 주고, 엉덩이를 조이는 것이 중요하다

허리 젖히기 1

똑바로 엎드린 자세에서 강도를 조절하면서 할 수 있는 운동이다. 처음에는 상체를 들 수 있는 정도만 들고, 점차 허리가 유연해지고, 상처가 회복되면 점점 더 많이 들어 올리는 방향으로 운동을 진행하면 좋다.

❶. 엎드린 자세에서 양손으로 바닥을 짚는다.

❷. 팔꿈치로 몸통을 밀어 올려 젖혀진 상태를 만든다.

허리 젖히기 2

이 운동은 '허리 젖히기 1'을 통해 어느 정도 코어 근육과 목 주변 근육을 유연하게 푼 후 진행하도록 한다. 허리를 뒤로 젖혔을 때 통증이 오면 멈춰야 한다. 그래서 허리를 젖히는 가동 범위를 적절히 통증이 오지 않을 정도로 하는 게 좋다.

❶. 엎드린 자세에서 양손으로 바닥을 짚는다.

❷. 팔을 펴서 몸통을 뒤로 충분히 젖힌다.

브릿지 익스텐션

대장암과 간암 수술 후에는 등허리 근육을 강화시키는 운동을 하면 좋다. 등허리 척추를 받치고 있는 근육들이 수술로 인한 통증으로 자세가 무너져 약해질 수 있기 때문이다. 자세가 나빠 근육이 뭉치게 되면 등허리 척추의 관절을 틀어지게 해 결국 다른 질병을 유발시킬 수 있다.

❶. 등을 대고 누워 무릎을 세운다.

❷. 다리를 골반 너비로 벌린 상태에서 엉덩이를 들어 올린다. 양손은 몸통 옆에 편안하게 내려놓는다.

버드독

척추 안정성 향상과 강화에도 도움 되는 운동이다. 복부와 허리 근육을 강화해 척추의 안정성과 균형성을 높여주며, 몸통의 불균형을 바로잡는 데 도움이 된다. 이때 팔다리를 너무 높이 올리지 않는다. 손부터 발끝까지 일직선을 만든다.

❶. 네 발 자세로 엎드려 팔과 다리를 바닥에 지지한 상태에서 준비한다.

❷. 한 손은 앞으로 뻗고, 대각선에 있는 발은 들어 올려 10초가량 버틴 뒤 천천히 내린다. 반대쪽 손과 발도 같은 방법으로 한다.

위암

위의 일부나 전체를 절제하면 소화 기능이 떨어진다. 또한 체중 감소와 함께 신체 기능도 약해져 있어 복부에 힘이 들어가는 무리한 운동은 피해야 한다.

복부의 몸통 스트레칭을 통해 장과 위를 운동시키는 것을 시작으로 산책과 가벼운 걷기 운동으로 강도를 천천히 끌어올리는 것이 좋다. 꾸준한 운동은 몸의 중심인 코어 근육을 강화하고 자극을 통해 위의 연동운동을 촉진하는 데 도움 된다. 또한 신체 활동량 증가와 더불어 혈액순환도 원활하게 해서 암 피로 현상도 줄어든다.

누워서 한 다리로 원 그리기

누워서 한 다리로 원 그리기는 고관절의 가동 범위를 넓히는 데 좋은 운동이다. 원을 그릴 때 고관절 주변 근육들을 자극하기에 복부와 엉덩이 등 코어 근육을 키우는 데도 도움 된다.

어느 정도 수술 부위 상처가 아물어 배에 힘이 들어갈 때부터 시작하면 좋다. 누워서 한 다리를 들 때 배에 힘이 많이 들어가니 너무 무리하지 않도록 하자.

❶. 하늘을 보고 바닥에 눕는다.
❷. 누운 상태에서 한쪽 다리만 올려 허공에 커다란 원을 그리듯이 움직인다. 이어 반대편 다리를 올려 같은 방법으로 한다.

몸통 트위스트

몸통 트위스트 운동할 때 어깨가 바닥에서 떨어지지 않도록 고정하고, 몸통을 과도하게 돌려 허리에 무리가 가지 않도록 유의해야 한다.

❶. 누워서 무릎을 굴곡하여 세우고 양팔을 벌린다.
❷. 다리를 모은 상태로 오른쪽으로 눕힌 다음 10
　　~20초 유지한다.

❸. 좌우 번갈아 실시한다.

한 다리 들고 서 있기

수술 후 무너진 균형 감각을 되살리는 운동법이다. 코어 근육은 물론 다리 근육도 강화된다.

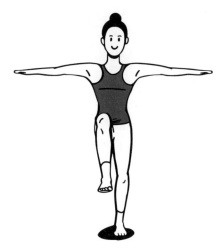

❶. 발을 어깨너비로 벌리고 서서 두 팔을 벌린다.
❷. 한쪽 다리를 들어 굴곡시켜 유지한다. 반대쪽 다리도 같은 방법으로 한다.

암 환자에게
걷기가 좋은 이유

암 환자에게 걷기는 부작용 없는 치료제이자 가장 안전한 유산소운동이나. 무엇보다 걷기는 전신운동이다.

걷기는 발만 움직이는 것이 아니다. 모든 관절이 다 움직이고, 관절을 지탱하는 근육도 함께 반응한다. 발목, 무릎, 엉덩이, 척추, 어깨 모두 골고루 움직인다. 관절과 근육을 모두 사용하여 우리 몸을 균형 있게 해주는 알찬 운동이다.

또한 인대와 힘줄을 튼튼하게 하는 한편 하체 근력을 강화시켜준다. 근육의 긴장도를 완화시켜 관절의 노화를 늦추는 데도 도움이 된다. 특히 암 환자에게 중요한 혈액순환 향상에 도움을 준다. 혈액은 혈관을 통해 우리 몸에 신선한 산소와 영양분을 공급한다. 근육 속에는 혈관이 많은데 걷기는 근육을 움직이면서 혈액을 온몸으로 골고루 퍼지게 한다.

무엇보다 백혈구에는 다양한 면역세포들이 존재하는데 가장 중요한 것은 '암세포 저격수'로 불리는 자연살해세포$^{NK\ cell,\ natural\ killer\ cell}$다. 걷기는 몸속 면역세포의 활성화를 돕기에 암세포로부터 내 몸을 지키는 훌륭한 '보디가드' 역할도 한다.

끝으로 걷기는 뇌 활동도 촉진시켜 심리적으로 우리 몸을 안정시킨다. 근력 강화는 물론 걸으면서 뇌 활동도 좋아지기 때문이다. 우선 알파파를 활성화시켜 뇌의 안정화에 도움을 준다. 또한 뇌에서 분비되는 베타 엔도르핀과 도파민은 스트레스 해소에 좋다.

나 역시 하루 7,000보 정도를 꾸준히 걸었다. 나에게 걷기는 기분 좋고 느낌 있는 삶의 유쾌한 자극제다.

Part 7

암 치료 후
삶의 질을
높이기 위한 운동

암 치료 후에도 계속되는 운동은 내 몸의 수호천사다. 몸과 마음의 건강 수준을 높여 일상생활에 자신감을 불어넣어 주기 때문이다.

미국 의사협회지에 발표된 암 생존자를 대상으로 한 조사 연구에서 암을 이겨냈어도 운동하지 않으면 재발과 사망률이 높은 것으로 나타났다. 결국 암 극복 후에도 계속 건강을 유지하기 위해서는 앉아 있는 시간을 줄이고, 움직이는 시간을 늘려야 한다.

병행하면 좋은
유산소운동과 근력 운동

암 치료가 끝난 뒤 운동은 유산소운동과 근력 운동의 비율을 50 대 50으로 균등하게 해야 효과가 극대화된다. 스텝퍼Stepper나 일립티컬elliptical machine 등 기구를 사용하거나 10분가량 걸은 뒤 5분 정도는 가벼운 조깅으로 연결하는 운동, 가벼운 등산 등이 좋다.

일립티컬

일립티컬(노르딕 스키 타는 동작)은 러닝머신과 자전거를 혼합한 운동기구로 팔과 다리를 함께 움직이면서 한다. 무엇보다 심장을 많이 뛰게 해주는 상체 운동으로 근력 운동과 유산소운동을 함께할 수 있다는 장점이 있다.

요즘에는 헬스장뿐 아니라 공원이나 산에서도 쉽게 볼 수 있으며, 관절에 영향을 주지 않고 달리기나 빨리 걷기와 비슷한 효과를 볼 수 있다. 허리나 관절에 무리 없이 하체 근력을 키우는 데 좋다.

스텝퍼

발판을 교대로 밟으며 다리를 움직이는 스텝퍼 역시 유산소운동과 근력 운동을 동시에 할 수 있다. 엉덩이, 허벅지, 종아리 등 하체 근육을 강화하는 데 안성맞춤이다.

스텝퍼는 날씨에 구애받지 않고 실내에서 계단 오르기 효과를 낼 수 있는 운동이다. 이 운동을 꾸준히 하면 하체 근육이 강화되고, 폐활량이 늘고 심장을 튼튼히 하는 데도 도움 된다.

롱풀 머신

롱풀 머신Long Pull Machine은 이름처럼 길게 당길 수 있는 운동기구로
시티드 로우머신Seated Row Machine으로도 불린다.

등 근육 자극을 통해 광배근을 단련하는 데 효과적이다. 혹 집에
서 이 운동을 하고 싶다면 고정된 곳에 밴드를 걸고 의자에 앉아서
할 수 있다.

❶ 의자에 앉아 양손을 뻗어 고정시킨
밴드 양쪽 끝을 잡는다.

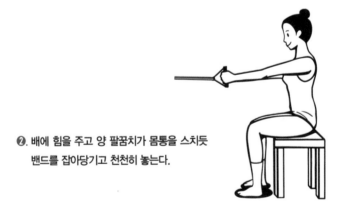

❷ 배에 힘을 주고 양 팔꿈치가 몸통을 스치듯
밴드를 잡아당기고 천천히 놓는다.

나영무 박사의 암 치유 기적의 운동

노젓기 운동

피로감을 느낄 때 추천했던 운동(본문 206쪽)이다. 롱풀 머신이 없다면 대신 노젓기 운동을 하면 좋다. 맨손으로 하는 노젓기 운동은 허리에서 등에 걸쳐 있는 큰 삼각형 모양의 광배근, 복근, 그리고 하체 근력을 키우는 데 효과적이다.

아령 운동

집에서 손쉽게 할 수 있는 근력 운동이다. 손목, 팔, 어깨 근력이 강화되고, 굽히고 펴는 움직임도 편해지며 혈관도 튼튼하게 해준다. 아령을 들기 전 스트레칭으로 몸의 뭉친 근육을 먼저 푼 뒤 가벼운 무게부터 시작해 점차 늘려나가는 것이 좋다.

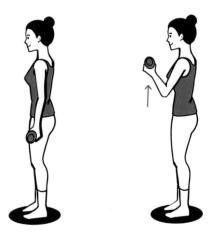

❶. 양발을 어깨너비로 벌리고 서서 손바닥이 위를 향하도록 아령을 잡고, 천천히 들어 올렸다 내리기를 반복한다.

❷. 이번에는 엄지손가락이 위를 향하도록 아령을 잡고, 천천히 들어
   올렸다가 내린다.

나영무 박사의 암 치유 기적의 운동

무리하지 않으면서
체력 올리는 법

우선 시속 5km의 속도로 7분가량 걷고, 3분은 전신에 힘을 주고 빠르게 걸은 뒤 5분 정도는 가벼운 조깅으로 연결한다. 이어 숨을 고르고 난 뒤 같은 방법으로 1시간 정도 걷기와 조깅을 통해 몸 안의 세포와 근육들을 깨우고 단련한다.

이 동작들은 척추와 무릎에 무리를 주지 않고 효과적으로 하체 근육을 강화하는 데 좋다. 또한 혈액순환 향상은 물론 골밀도도 높아져 골다공증 예방에도 도움이 된다. 주말에는 야외로 나가 트래킹이나 가벼운 등산으로 하체를 단련하는 것도 추천한다.

걷기

걷기는 인간의 가장 기본적인 동작이다. 사람이 걷기만 잘 하고 살아도 별다른 병이 별로 없을 정도로 좋은 운동이다. 암 치료 중 걷기의 키워드가 '습관화'라면 암 치료 후에는 '꾸준함'임을 명심하자. 일주일에 4~5회, 30분~1시간 정도 자신의 몸 상태에 맞게 하는 것이 좋다.

걸을 때도 자세가 중요하다. 배를 약 20% 정도 집어넣은 뒤 허리를 쭉 펴고 엉덩이 부분에 약간의 힘을 준다. 이어 구부러진 어깨를 뒤로 젖히듯 펴고, 고개를 뒤로 밀어 몸이 머리부터 허리까지 일직선이 되도록 하는 것이다.

보폭은 자연스럽게 하는데 보통 성인의 경우 60~80cm, 발 간격은 어깨너비, 그리고 1분에 60보가량 걷는다. 보폭과 발 간격이 넓을 경우 부상 위험이 따르므로 자신의 몸에 맞게 조율하는 것이 중요하다.

나영무 박사의 암 치유 기적의 운동

빨리 걷기

암 환자가 걷기에 적응되면 빨리 걷기 단계로 넘어간다. 운동 수준은 약간 힘든 정도로 걷는 것이 적당하다. 빨리 걷기는 근력 강화는 물론 심폐 지구력을 유지시키고 칼로리 소모에도 효과적이다.

복부에 힘을 주고 턱을 끌어당긴 뒤 시선은 4~5m 전방을 주시하면서 팔은 호흡과 무릎의 리듬에 맞춰 앞뒤로 가볍게 흔든다. 양발은 11자 형태를 유지하면서 발뒤꿈치-발바닥-엄지발가락 순으로 지면에 닿을 수 있도록 무게중심을 이동하는 것이 바람직하다. 이때 내디딘 다리의 발가락 끝으로 지면을 치면서 빠르게 걷는다. 느린 속도와 빠른 속도가 병행되면 자율신경계 자극 효과가 훨씬 높아진다.

살짝 뛰기

조깅은 걷기보다는 강도가 있는 운동이다. 그래서 암 환자는 기초 체력이 보강됐다고 느꼈을 때 시작하는 것이 좋다. 조깅은 허벅지와 종아리 등 하체 근력을 키우는 데 안성맞춤이다. 조깅은 보통 시속 8km 속도로 뛰는 것을 말하는데, 같이 뛰는 사람과 대화를 나눌 수 있는 정도다.

암 환자의 경우 천천히 뛰는 것을 1차 목표로 삼아 운동의 강도를 선택하는 것이 바람직한데 땀이 살짝 나는 정도의 수준이 적당하다.

가벼운 등산

　체력이 허용하는 범위 내에서 가벼운 등산도 추천한다. 등산은 다리 근육 강화는 물론 심폐 지구력과 함께 근지구력을 향상시켜주기 때문이다. 특히 산에서 나무가 내뿜는 산소를 마시면 정신도 맑아지고 스트레스 해소에도 도움이 된다.

　등산은 평지를 걷는 것보다 호흡량이 많기에 무리할 경우 근육통이나 다리에 쥐가 날 수 있다. 또한 산을 내려올 때 발목을 접질릴 위험도 있다. 따라서 등산 전 반드시 체조와 스트레칭을 통해 몸을 충분히 풀어주는 것이 중요하다. 처음에는 북한산 둘레길 등 경사가 심하지 않고 비교적 평탄한 코스가 많은 곳들을 돌며 몸을 적응시키는 것도 좋다.

이 운동 역시 컨디션 단계에 따른 신호등 운동이라고 할 수 있다. 암 환자의 운동은 앞서 말한 것처럼 천천히 자신의 몸 상태에 맞춰서 하는 것이 좋다. 걷기→빨기 걷기→살짝 뛰기→가볍게 등산으로 운동 강도를 점점 높이는 것처럼 각자 하고 싶은 운동의 난이도를 설정해 점진적으로 강도를 높이도록 하자. 만약 그런 운동이 없거나, 혹은 어떻게 해야 할지 모르겠다면 내가 앞서 제시한 운동들을 따라 해보자. 무엇보다 '운동의 꾸준함'을 생각하면서 자신만의 페이스를 지키는 것이 중요하다. 그러면 운동을 시작하지 않았을 때보다 훨씬 좋은 컨디션을 유지할 수 있을 것이다.

암 환자들을 위한
운동 십계명

암 환자의 운동은 안전하고 즐겁게 하는 것이 중요하다. 운동을 시작하기 전에 알아두면 유익한 십계명을 정리해본다.

하나, 몸 상태를 꼼꼼하게 체크한다.

근골격계 질환은 있는지, 운동할 체력은 되는지 등을 살피는 것이 좋다.

둘, 초기에는 무슨 일을 하든 보호자와 함께한다.

암 환자의 컨디션은 예측불허다. 운동 도중 갑자기 쓰러지거나 다칠 수 있기에 동반자가 필요하다.

셋, 운동 전후 체조와 스트레칭으로 유연성을 확보한다.

운동을 시작하기 전에 체조와 스트레칭으로 몸을 부드럽게 해준다. 운동 후에도 스트레칭을 해주면 피로 회복에 도움이 된다.

넷, '저강도→중강도→고강도' 순으로 운동 강도를 천천히 끌어올린다.

처음부터 근육에 무리를 주면 오래 지속할 수 없다. 가벼운 것부터 시작한 뒤 차근차근 강도를 높이는 것이 바람직하다.

다섯, 양보다 질에 초점을 둔다.

운동 시간과 횟수가 많다고 해서 좋은 것이 아니다. 적은 시간이라도 정확한 동작을 올바른 자세로 하는 것이 훨씬 중요하다.

여섯, 체력 안배에 신경 쓴다.

운동 능력을 100%로 했을 때, 한 번에 100%를 모두 사용하는 것보다 50~60% 정도만 사용하면서 꾸준하게 하는 것이 효율적이다.

일곱, 운동의 균형을 생각한다.

암세포로부터 부작용 없이 내 몸을 지키기 위해서는 근력 운동과 유산소 운동을 조화롭게 해야 한다.

여덟, 통증이 있으면 즉시 운동을 멈춘다.

운동하면서 통증이 있으면 안 된다. 통증의 강도를 1~10으로 놓았을 때 1~2 정도는 괜찮지만 그 이상이면 즉시 운동을 중단하고 담당 의사와 상의해야 한다. 무조건 참는 것이 능사가 아니라는 점을 꼭 기억해야 한다.

아홉, 운동을 습관화한다.

암 환자의 운동법은 성실함이 가장 중요하다. 절대 작심삼일로 중간에 포기해서는 안 된다. 떨어진 체력을 끌어올리고, 유지하기 위해서는 운동을 꾸준히 해야 한다. 또 운동으로 체력이 좋아지면 언제 재발할지 모른다는 불안감을 떨쳐낼 수 있어 정신적으로 안정된다. 그러니 운동을 꼭 습관화 해야 한다.

열, 운동 후 충분히 휴식을 취한다.

운동만큼 중요한 것이 잘 쉬는 것이다. 운동에 대한 열정도 중요하지만 잘 쉬고 잘 먹어야 체력이 올라온다. 그러니 운동했으면 푹 쉬도록 하자.

찬란한 삶을
다시 살고 싶다면,
'운동'하라

지금 이 시간에도 많은 사람들이 암세포와 싸우고 있다. 암 환자들의 꿈은 '암 이전의 삶'으로 돌아가는 것이다. 건강게 살려면 잘 먹고, 잘 움직이고, 잘 배설하는 것이 중요하다. 특히 몸을 잘 움직이는 것이 중요하다. 움직임은 몸에 활기와 생동감을 불어넣는 소중한 의식과도 같은 것이다. 마치 기계가 잘 작동하도록 닦고 조이고 기름칠을 해주는 것과 같은 과정이기 때문이다.

지난해 말 50대 여성 환자분이 내 진료실에 왔다. 수척하고 피곤한 얼굴에 걸음걸이도 힘겨워 보였다. 그녀는 극심한 무기력감을 호소했다.

"원장님, 허리와 무릎도 아픈데 대장암 3기로 수술까지 받아 몸에 힘이 없고 무기력해요."

이 환자의 증상은 암이 주는 피로감과 체력 저하였다. 이러한 증상은 근감소증에서 비롯된다. 그래서 근육 양을 측정하자고 제안했다. 역시 그녀의 근육 양은 현격히 낮았다. 내 예상대로 근감소증으로 인한 증상이었다. 나는 그녀에게 "많이 힘드셨겠지만 의지만 강하면 얼마든지 암을 이겨낼 수 있습니다" 하고 용기를 준 뒤 근육 운동을 권했다.

넉 달 뒤 그 환자의 근감소증 수치는 정상 수준에 근접했다. 지금은 체력이 좋아져 무기력증에서 벗어나고, 치료를 견뎌내는 힘도 생겨나 얼굴에 웃음을 되찾았다. 얼마 전 그 환자는 면담을 마친 뒤 쿠키가 담긴 작은 상자를 나에게 슬그머니 내밀고 진료실을 나갔다. 포장지 겉면에는 직접 그린 병원 로고와 감사 문구가 새겨져 있었다. 그분의 따뜻한 정성이 마음에 전해져 하루종일 기분이 좋았다. 그 환자를 진료하면서 근육 운동이 가져온 의미 있는 변화를 다시 한 번 실감하게 되었다.

나 역시 운동 덕분에 암을 잘 이겨내고 있다. 비록 내 몸에서 암세포는 사라졌다고 하지만 언제 다시 재발할지 모른다는 두려움이 항상 마음속에 있다. 그래서 3개월마다 한 번씩 추적 검사를 통해 암세포 유무를 확인하고 있다. 검사 결과를 들을 때면 항상 마음이 조마조마하다. 하지만 꾸준한 운동으로 쌓은 체력과 건강한 정신이 나를 꿋꿋하게 버티게 해준다.

물론 암 진단을 받은 후 몸과 마음이 무너진 상황에서 운동한다는 것은 쉽지 않다. 하지만 운동해야 다시 건강해질 수 있다. 손쉬운 호흡 운동부터 침대에 누워 휴대진화 들어 올리기 등 수술 전후, 항암치료를 받으면서도 할 수 있는 운동을 찾아 꾸준히 해야 한다. 그러면서 점차 운동 강도를 높여 체력을 올려야 한다. 그래야 언제 어떻게 될지 모르는 암세포와의 싸움에서 이길 수 있다. 그렇게 운동하는 습관을 들이면 몸에는 금세 변화가 온다.

사실 암세포를 이길 수 있는 최고의 무기는 '할 수 있다'는 굳건한 의지다. 그 의지는 건강한 육체에서 비롯된다. 그러니 몸 근육을 키워 마음 근육도 단단하게 해야 한다는 사실을 잊지 말자.

재활의학과 의사인 나를 암이라는 무서운 구렁텅이에서 빠져나오게 해준 것은 '운동'이었다. 그 경험을 통해 깨달은 것은 지난한 암 치유 과정에서 최고의 동반자는 바로 운동이었다는 것이다.

이 책을 통해 이제 막 암 진단을 받은 사람, 암 수술을 받은 사람, 재발로 투병 중인 사람, 독한 항암치료를 받고 있는 사람 등 암을 겪고 있는 많은 분들이 운동을 통해 다시 찬란한 삶을 건강하게 시작하길 진심으로 바란다.

2022년 가을 문턱에서
완치의 그 날을 기다리며 나영무

국내 최고 재활전문의이자, 생존 확률 5% 말기암을 극복한

나영무 박사의 암 치유 기적의 운동

1판 1쇄 인쇄 2022년 9월 5일
1판 1쇄 발행 2022년 9월 13일

지은이 나영무
발행인 김형준

편집장 황남상
마케팅 김수정
본문 일러스트 김지윤
디자인 섬세한 곰 김미성

발행처 체인지업북스
출판등록 2021년 1월 5일 제2021-000003호
주소 경기도 고양시 덕양구 삼송로 12, 805호
전화 02-6956-8977
팩스 02-6499-8977
이메일 change-up20@naver.com
홈페이지 www.changeuplibro.com

© 나영무, 2022

ISBN 979-11-91378-23-8 13510

체인지업북스는 내 삶을 변화시키는 책을 펴냅니다.